Ready® Classroom
Matemáticas

Grado 2 • Volumen 1

Curriculum Associates®

NOT FOR RESALE

Contenido

UNIDAD

2

Números hasta 100
Suma, resta, la hora y dinero

UNIDAD 3

Números hasta 1,000
Valor posicional, suma y resta

···UNIDAD··· 4 Longitud
Medición, suma y resta y diagramas de puntos

UNIDAD 5

Figuras y matrices
División y teselado de figuras, matrices, números pares e impares

Números hasta 20
Suma, resta y datos

☑ COMPRUEBA TU PROGRESO

Antes de comenzar esta unidad, marca las destrezas que ya conoces. Al terminar cada lección, comprueba si puedes marcar otras.

Puedo . . .	Antes	Después
Contar hacia delante para sumar y restar.	☐	☐
Usar familias de datos para sumar y restar.	☐	☐
Formar una decena para sumar y restar	☐	☐
Resolver un problema verbal de un paso.	☐	☐
Hacer un dibujo y hallar información en dibujos y gráficas de barras.	☐	☐
Usar la suma y la resta para resolver un problema con más de un paso.	☐	☐

Amplía tu vocabulario

Vocabulario matemático

Completa las oraciones usando lo que sabes acerca de cada palabra.

Oraciones modelo	Lo que sabes
Creo que un **sumando** es . . .	
Creo que una **ecuación de suma** es . . .	
Creo que un **doble** es . . .	
Creo que **restar** significa . . .	
Creo que el **total** es . . .	

Vocabulario académico

Pon una marca junto a las palabras académicas que ya conoces.
Luego usa las palabras para completar las oraciones.

☐ modelo ☐ resolver ☐ explicación ☐ propósito

1 Escribir problemas matemáticos me ayuda a ....

2 El .... de aprender familias de datos es aprender a sumar y restar mentalmente.

3 La .... de mi maestro me ayudó a entender mejor el problema.

4 Los bloques de base diez se pueden usar como un .... para contar de decena en decena.

Estrategias de cálculo mental para sumar

Estimada familia:

Esta semana su niño está aprendiendo a usar diferentes estrategias de cálculo mental para sumar.

A continuación, se describen algunas de las estrategias para sumar que aprenderá su niño.

Contar hacia delante

Un problema de suma puede resolverse contando hacia delante. Se puede contar hacia delante partiendo de un número del problema para hallar el total. Esta estrategia ayudará a su niño a calcular el número de objetos que hay en un grupo sin necesidad de contar uno por uno.

Para resolver $8 + 3$, comience en el número 8. Luego, cuente hacia delante 3 más, que es el otro número del problema. 8, ..., 9, 10, 11. Por lo tanto, $8 + 3 = 11$.

Dobles más 1

Una suma de dobles es un problema de suma en el que los dos sumandos (los números que se están sumando) son iguales, por ejemplo, $8 + 8$. Una suma de dobles más 1 es un problema de suma en el que uno de los sumandos es mayor que el otro en uno, por ejemplo, $8 + 9$.

Halle $8 + 9$.	$8 + 9$
Piense en 9 como $8 + 1$.	$8 + 8 + 1$
Haga la **suma** de dobles, $8 + 8$.	16
Sume 1 al resultado.	$16 + 1 = 17$
Dé el resultado de $8 + 9$.	$8 + 9 = 17$

Formar una decena

Hacer sumas es más fácil si uno de los números es 10. Descomponiendo un número, se puede formar 10 y luego sumar el resto.

Halle $6 + 8$. $6 + 8$

Piense en 8 como $4 + 4$. $6 + 4 + 4$

Sume 6 y 4 para formar 10. $10 + 4$

Sume el otro 4. 14

> La suma $10 + 4$ es un problema más fácil de resolver mentalmente: $10 + 4 = 14$; por lo tanto, $6 + 8 = 14$.

Invite a su niño a compartir lo que sabe sobre formar una decena haciendo juntos la siguiente actividad.

ACTIVIDAD FORMAR UNA DECENA

Haga la siguiente actividad con su niño para ayudarlo a practicar la suma usando estrategias de cálculo mental.

- Comience levantando 6 dedos. Pida a su niño que sume 9 a ese número.

- Pídale que haga la suma con la estrategia "formar una decena" y que use los dedos suyos para mostrar el procedimiento. (Por ejemplo, su niño puede sumar primero 4 y levantar los dedos suyos que faltan para llegar a 10. Luego, puede sumar 5 más con sus propios dedos para completar la suma de 9.)

- Haga a su niño preguntas como la siguiente: *Si levanto 8 dedos, ¿cómo se puede sumar 7 formando primero una decena?*

- Repita con otro número de dedos y juegue durante aproximadamente 5 minutos.

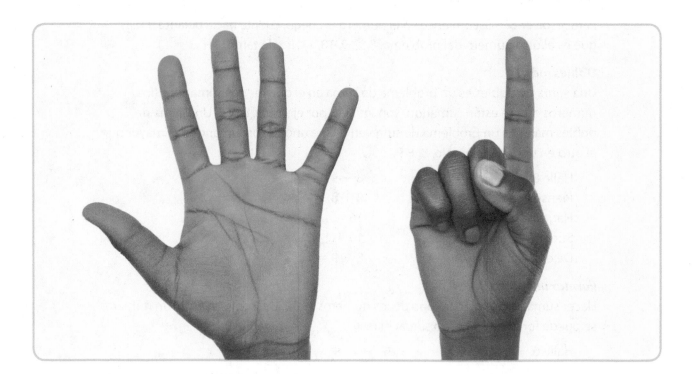

Explora Usar estrategias de cálculo mental para sumar

En esta lección usarás diferentes estrategias para sumar números mentalmente. Usa lo que sabes para tratar de resolver el siguiente problema.

Objetivo de aprendizaje

- **Sumar** y restar **con fluidez hasta 20 usando estrategias mentales.**
  Al final de segundo grado, saber de memoria todas las sumas de dos números de un dígito.

EPM 1, 2, 3, 4, 5, 6, 7, 8

> **Hay 8 niños en el área de juego. Luego llegan 4 niños más a jugar. ¿Cuántos niños hay en total en el área de juego?**

PRUÉBALO

Herramientas matemáticas

- fichas
- marcos de 10

CONVERSA CON UN COMPAÑERO

Pregúntale: ¿Cómo empezaste a resolver el problema?

Dile: Al principio, pensé que . . .

CONÉCTALO

1 REPASA

¿Cuántos niños hay en total en el área de juego? ....

2 SIGUE ADELANTE

Los números que se **suman** se llaman sumandos. Puedes sumar números de diferentes maneras. Elige una manera que creas que funciona mejor. Formar una decena es una manera de sumar números con un **total** mayor que 10.

Piensa en 8 + 5.

Descompón el 5. Suma a 8 para formar 10.

a. ¿Cuánto debes sumar a 8 para formar 10? ....

b. ¿Cuánto más debes sumar? ....

c. Completa cada **ecuación** con el **número desconocido** para mostrar cómo formar una decena para sumar 8 + 5.

8 + ... = 10

10 + ... = 13

Por lo tanto, 8 + 5 = ...

3 REFLEXIONA

¿Cómo supiste cuánto más debías sumar después de que formaste 10?

....

....

Prepárate para usar estrategias de cálculo mental para sumar

1 Piensa en lo que sabes acerca de las diferentes maneras de sumar. Llena cada recuadro. Usa palabras, números y dibujos. Muestra tantas ideas como puedas.

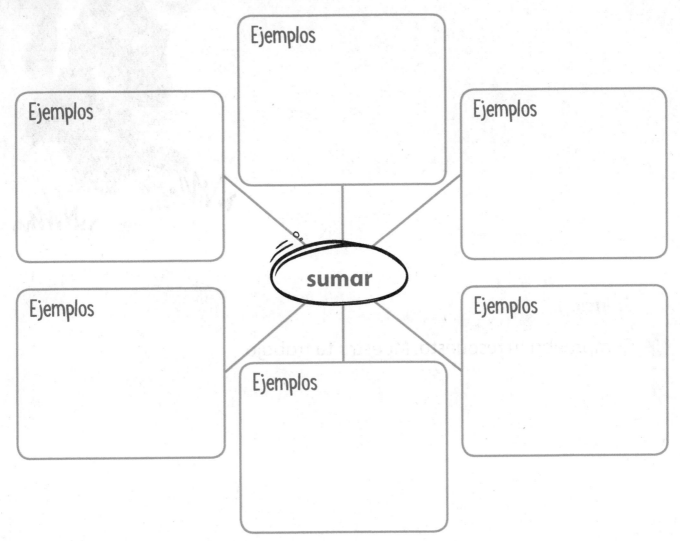

2 Explica cómo sumarías $8 + 7$.

3 Resuelve el problema. Muestra tu trabajo.

Hay 7 cabras en el zoológico interactivo. Luego traen 6 cabras más al zoológico. ¿Cuántas cabras hay en total en el zoológico interactivo?

Solución ....

4 Comprueba tu respuesta. Muestra tu trabajo.

Desarrolla Sumar contando hacia delante y formando una decena

Lee el siguiente problema y trata de resolverlo.

> **Khalid leyó 9 libros en junio. Luego leyó 3 libros más en julio. ¿Cuántos libros leyó Khalid en ambos meses?**

PRUÉBALO

Herramientas matemáticas

• fichas
• cubos conectables

CONVERSA CON UN COMPAÑERO

Pregúntale: ¿Estás de acuerdo conmigo? ¿Por qué sí o por qué no?

Dile: No estoy de acuerdo con esta parte porque . . .

Explora diferentes maneras de entender cómo usar estrategias para resolver problemas de suma mentalmente.

> Khalid leyó 9 libros en junio. Luego leyó 3 libros más en julio. ¿Cuántos libros leyó Khalid en ambos meses?

HAZ UN DIBUJO

Puedes contar hacia delante para sumar.

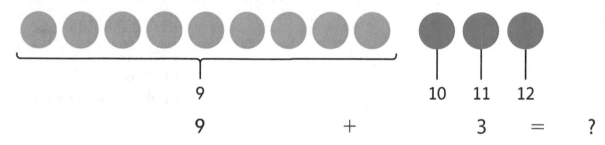

$$9 + 3 = ?$$

HAZ UN MODELO

Puedes formar una decena para sumar.

$$9 + 3 = ?$$
$$9 + 1 + 2 = ?$$
$$10 + 2 = ?$$

HAZ UN MODELO

Puedes mostrar cómo formar una decena para sumar en una recta numérica abierta.

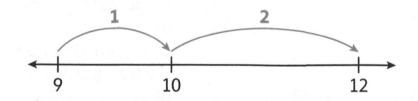

CONÉCTALO

Ahora vas a usar el problema de la página anterior para ayudarte a entender cómo sumar contando hacia delante y formando una decena.

1 Mira **Haz un dibujo**. ¿Qué número obtienes después de contar hacia delante:

1 más que 9? ....

2 más que 9? ....

3 más que 9? ....

2 Mira los **Haz un modelo**.

¿Cuánto es 10 + 2? ....

3 ¿Cuánto es 9 + 3? ....

4 ¿Por qué es 9 + 3 lo mismo que 10 + 2?

5 ¿Cuántos libros leyó Khalid en ambos meses? ....

6 REFLEXIONA

Repasa **Pruébalo**, las estrategias de tus compañeros, **Haz un dibujo** y los **Haz un modelo**. ¿Qué modelos o estrategias prefieres para sumar mentalmente? Explica.

....

....

....

APLÍCALO

Usa lo que acabas de aprender para resolver estos problemas.

7 Tom tiene 3 camisetas azules y 8 camisetas rojas. ¿Cuántas camisetas tiene en total? Muestra cómo hallaste tu respuesta.

8 Muestra cómo puedes formar una decena para ayudarte a sumar $7 + 6$.

9 Dan cuenta hacia delante para hallar $7 + 4 = ?$. Él muestra cómo cuenta hacia delante en esta tabla. ¿Qué error comete?

7	8	9	10	11
/	/	/	/	

Practica sumar contando hacia delante o formando una decena

Estudia el Ejemplo, que muestra cómo formar una decena para sumar. Luego resuelve los problemas 1 a 6.

EJEMPLO

Halla 8 + 7.

8 + 7 = ?
8 + 2 + ?

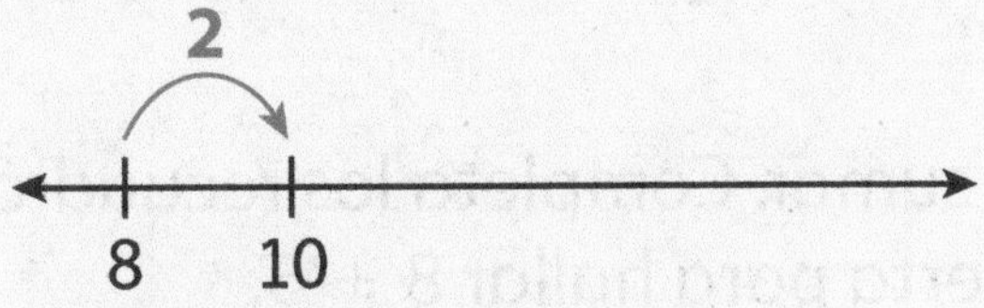

La pareja 8 y 2 forma 10.

8 + 7 = ?
8 + 2 + 5

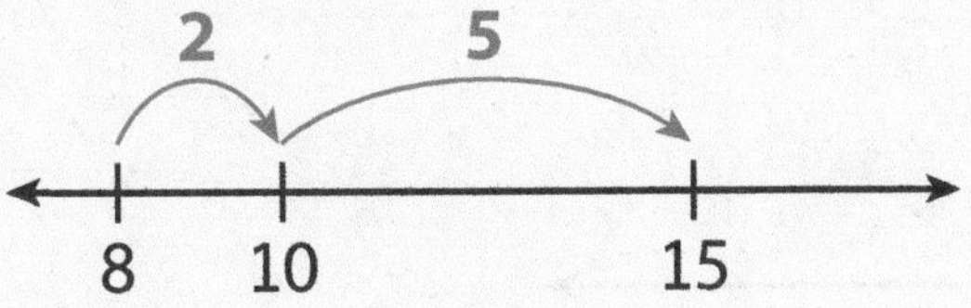

Suma 5, la otra parte de la pareja de 7.

Por lo tanto, 8 + 7 = 15.

1. Completa los recuadros para hallar 9 + 4.

9 + 4 = ?
9 + ☐ + ☐

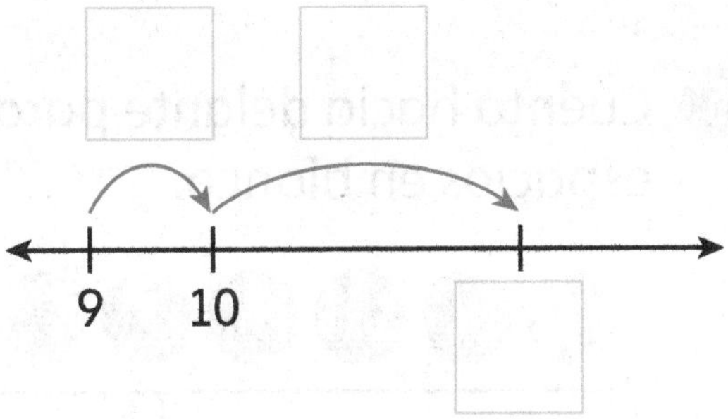

Por lo tanto, 9 + 4 = ...

2. Mira la recta numérica abierta del problema 1. ¿Cómo cambiarías los números para mostrar 9 + 5?

3 Forma una decena para sumar. Completa los recuadros en la recta numérica abierta para mostrar $9 + 6 = 15$.

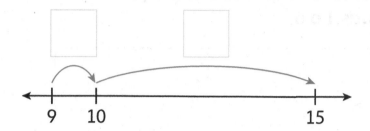

9   10   15

4 Forma una decena para sumar. Completa los recuadros en la recta numérica abierta para hallar $8 + 5$.

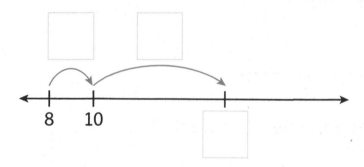

8   10

$8 + 5 =$ ....

5 Cuenta hacia delante para hallar $9 + 7$. Completa los espacios en blanco.

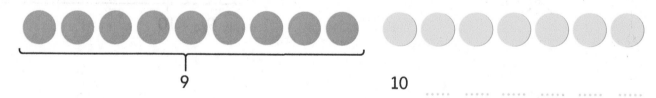

9   10   ....

6 Halla $9 + 2$. Muestra cómo hallaste tu respuesta. Cuenta hacia delante o usa la estrategia de formar una decena. Explica por qué elegiste esa estrategia.

Desarrolla Usar dobles y dobles más 1

Lee el siguiente problema y trata de resolverlo.

> **Lara tiene 8 canicas azules y 9 canicas rojas.**
> **¿Cuántas canicas tiene?**

PRUÉBALO

Herramientas matemáticas
- fichas
- rectas numéricas

CONVERSA CON UN COMPAÑERO

Pregúntale: ¿Puedes explicarme eso otra vez?

Dile: La estrategia que usé para hallar la respuesta fue . . .

Explora diferentes maneras de entender cómo usar más estrategias para resolver problemas de suma mentalmente.

> Lara tiene 8 canicas azules y 9 canicas rojas. ¿Cuántas canicas tiene?

HAZ UN DIBUJO

Puedes usar dibujos para mostrar dobles más 1 más.

Halla el doble.

$8 + 8 = ?$

Halla uno más.

← 8

← 8 y 1 más

$8 + 8 + 1 = ?$

HAZ UN MODELO

Puedes descomponer números para mostrar dobles más 1.

Halla el total.

$8 + 9 = ?$
$8 + 8 + 1 = ?$

CONÉCTALO

Ahora vas a usar el problema de la página anterior para ayudarte a entender cómo sumar usando dobles y dobles más 1.

1 ¿Por qué crees que 8 + 8 se llama un doble?

2 ¿Cuánto es 8 + 8? ....

3 ¿Cómo te ayuda saber cuánto es 8 + 8 a hallar 8 + 9?

4 ¿Cuántas canicas tiene Lara? ....

5 ¿Cómo usarías un dato de dobles para hallar 5 + 6?

6 REFLEXIONA

Repasa **Pruébalo**, las estrategias de tus compañeros, **Haz un dibujo** y **Haz un modelo**. ¿Qué modelos o estrategias prefieres para resolver una suma de dobles más 1? Explica.

....

....

....

APLÍCALO

Usa lo que acabas de aprender para resolver estos problemas.

7 $9 + 9 = 18$. ¿Cómo puedes usar esto para resolver $9 + 10$?

8 Maria gana 8 dólares por plantar flores. Luego gana 7 dólares por alimentar mascotas. ¿Cuánto gana en total?

Escribe una ecuación con dobles más 1 para resolver el problema. Muestra tu trabajo.

9 Kelly dijo que halló $3 + 4$ hallando $4 + 4 - 1$. ¿Crees que tiene razón? Explica.

Practica usar dobles y dobles más 1

Estudia el Ejemplo, que muestra cómo sumar con dobles más 1. Luego resuelve los problemas 1 a 5.

EJEMPLO

David tiene 7 calcomanías de corazones y 8 calcomanías de estrellas. ¿Cuántas calcomanías tiene David en total?

$7 + 8 = ?$

Usa dobles.

Luego suma 1 más.

$7 + 7 + 1 = 15$

$7 + 8 = 15$

David tiene 15 calcomanías en total.

1 Completa los siguientes datos de dobles.

$4 + 4 =$ .... $5 + 5 =$ ....

$6 + 6 =$ .... $7 + 7 =$ ....

$8 + 8 =$ .... $9 + 9 =$ ....

2 ¿Cuál de los datos de dobles de arriba usarías para resolver $8 + 9$? Explica.

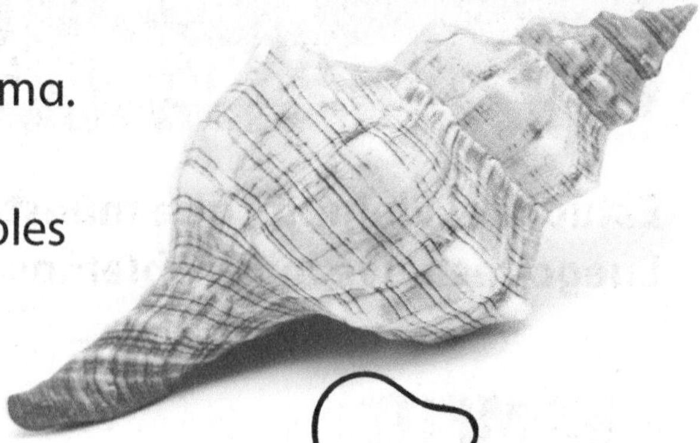

3 Usa dobles más 1 para resolver este problema.

Cory encuentra 6 caracoles en la playa. Después encuentra 5 más. ¿Cuántos caracoles encuentra en total?

Ⓐ 10

Ⓑ 11

Ⓒ 12

Ⓓ 13

4 Escribe el doble que se usaría para resolver cada problema. Luego resuélvelo.

a. $4 + 5 = ?$

Se usa el doble .... + ...

$4 + 5 =$ ....

b. $7 + 6 = ?$

Se usa el doble .... + ...

$7 + 6 =$ ....

c. $5 + 6 = ?$

Se usa el doble .... + ...

$5 + 6 =$ ....

5 James quiere resolver $6 + 7$. Usó $7 + 7$ y 1 más. ¿Obtuvo James la respuesta correcta? Explica.

Refina Usar estrategias de cálculo mental para sumar

Completa el Ejemplo siguiente. Luego resuelve los problemas 1 a 3.

EJEMPLO

Tina jugó 8 horas al básquetbol en una semana. La semana siguiente jugó al básquetbol por 6 horas. ¿Cuántas horas jugó en ambas semanas?

Halla $8 + 6$. Puedes descomponer los números para formar una decena.

Descompón el 8.　$8 + 6$
　　　　　　　　　$4 + 4$
　　　　　　　　　$4 + 6 = 10$
Suma 4 más.　$10 + 4 = 14$
　　　　　　　$8 + 6 = 14$

Descompón el 6.　$8 + 6$
　　　　　　　　　　$2 + 4$
　　　　　　　　　$8 + 2 = 10$
Suma 4 más.　$10 + 4 = 14$
　　　　　　　$8 + 6 = 14$

Solución ....

APLÍCALO

1 Elon toma 7 fotos en su casa. Luego toma 5 fotos más en la escuela. ¿Cuántas fotos toma Elon en total? Muestra tu trabajo.

> Puedes pensar en 7 como 5 y 2.

Solución ....

2 Halla 8 + 3 contando hacia delante.
Muestra tu trabajo.

¿Con qué sumando comenzarás?

Solución ....

3 ¿Cuánto es 8 + 9?

Ⓐ 16

Ⓑ 17

Ⓒ 18

Ⓓ 19

Quizás quieras usar un doble.

Lydia eligió Ⓓ como respuesta correcta.
¿Cómo obtuvo Lydia su respuesta?

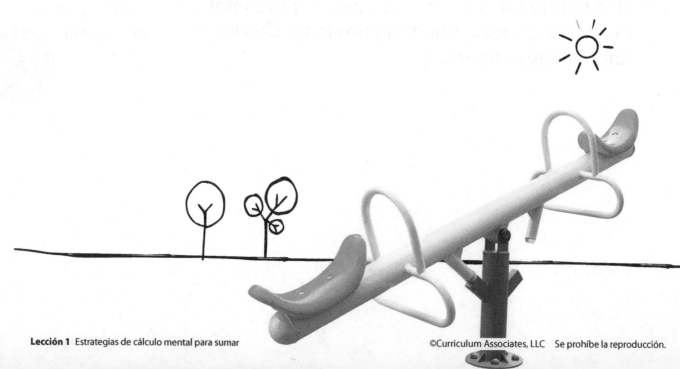

Practica usar estrategias de cálculo mental para sumar

1 Karen compra 5 manzanas rojas y 6 manzanas amarillas. ¿Cuántas manzanas compra en total? Muestra tu trabajo.

¿Te ayudaría usar un doble más 1?

Solución ....

2 Brad construye una torre con 8 bloques. Luego agrega 7 bloques más a su torre. ¿Cuántos bloques tiene su torre ahora? Muestra tu trabajo.

$7 + 7 = 14$

Solución ....

3 Alicia tiene 10 libros para devolver a la biblioteca. Su hermana tiene 9 libros para devolver. ¿Cuántos libros tienen en total las niñas para devolver a la biblioteca? Muestra tu trabajo.

¿Qué debes hallar?

Solución ....

4 Halla 6 + 7. Di si puedes usar cada una de estas expresiones para resolver el problema.

	Sí	No
6 + 6 + 1	Ⓐ	Ⓑ
7 + 7 + 1	Ⓒ	Ⓓ
7 + 3 + 3	Ⓔ	Ⓕ
10 + 4	Ⓖ	Ⓗ

¿Qué estrategias podrías usar para hallar la respuesta?

5 Raul tiene una pila de 10 monedas de 1¢. Arma otra pila de 10 monedas de 1¢. ¿Cuántas monedas de 1¢ hay en las pilas en total? Muestra tu trabajo.

Piensa en datos de dobles.

Solución ....

6 ¿Cuánto es 4 + 8?

Ⓐ 14 　　　　 Ⓑ 13

Ⓒ 12 　　　　 Ⓓ 11

Puedes contar hacia delante o formar una decena para resolver este problema.

Sam eligió Ⓓ como respuesta correcta.
¿Cómo obtuvo Sam su respuesta?

Estrategias de cálculo mental para restar

Estimada familia:

Esta semana su niño está aprendiendo a usar diferentes estrategias de cálculo mental para restar.

A continuación, se describen algunas de las estrategias para restar que aprenderá su niño.

Contar hacia delante

Un problema de resta puede resolverse contando hacia delante. ¿Cuánto es $15 - 9$? Su niño verá que puede pensar en $15 - 9 = ?$ como $9 + ? = 15$. Contará desde 9 hacia delante hasta 15. 9, ... 10, 11, 12, 13, 14, 15.

Se han contado 6 números, lo que indica que $9 + 6 = 15$. Por lo tanto, $15 - 9 = 6$.

Formar una decena

La estrategia de formar una decena puede representarse con una recta numérica abierta (una recta numérica que no está a escala y que solo muestra los números relevantes de un problema en particular.)

$15 - 9 = ?$	Piense en 9 como $5 + 4$.
$15 - 5 = 10$	Reste 5 para formar 10.
$10 - 4 = 6$	Luego, reste los otros 4.

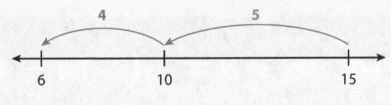

$15 - 9 = 6$

Usar familias de datos

Una familia de datos es un grupo de ecuaciones relacionadas que incluyen los mismos números pero en diferente orden.

$$9 + 6 = 15 \qquad 6 + 9 = 15 \qquad 15 - 9 = 6 \qquad 15 - 6 = 9$$

$15 - 9 = ?$ es lo mismo que $9 + ? = 15$, y si su niño sabe que $9 + 6 = 15$, también sabe que $15 - 9 = 6$.

Invite a su niño a compartir lo que sabe sobre usar familias de datos haciendo juntos la siguiente actividad.

ACTIVIDAD FAMILIAS DE DATOS

Haga la siguiente actividad con su niño para explorar la resta usando estrategias de cálculo mental.

Cree tarjetas con su niño recortando las que se muestran abajo y coloreando la parte de atrás, o escriba las familias de datos en tarjetas en blanco. Utilice las tarjetas para hacer la siguiente actividad.

- Cada jugador debe elegir una de las tarjetas que muestran solo un número (14 o 17) y colocarla boca arriba hacia cada uno. Mezcle las tarjetas de familias de datos. Colóquelas boca abajo en 2 filas de 4 tarjetas cada una.

- En su turno, los jugadores deben dar vuelta dos tarjetas.

  - Si alguna de las dos tarjetas no pertenece a la misma familia de datos que el número que eligió, coloque las dos tarjetas boca abajo.

  - Si ambas tarjetas forman parte de la misma familia que su número, puede quedárselas.

- Gana el primer jugador que halle las 4 tarjetas que componen la familia de datos de su número.

$8 + 6 = 14$	$6 + 8 = 14$	$14 - 8 = 6$
$14 - 6 = 8$	$9 + 8 = 17$	$8 + 9 = 17$
$17 - 9 = 8$	$17 - 8 = 9$	14 17

Explora Usar estrategias de cálculo mental para restar

En esta lección usarás diferentes estrategias para restar números mentalmente. Usa lo que sabes para tratar de resolver el siguiente problema.

Chen tiene 14 estampillas. Usa 6 para enviar cartas. ¿Cuántas estampillas le quedan a Chen?

PRUÉBALO

Herramientas matemáticas
• fichas
• marcos de 10

CONVERSA CON UN COMPAÑERO

Pregúntale: ¿Estás de acuerdo conmigo? ¿Por qué sí o por qué no?

Dile: No sé bien cómo hallar la respuesta porque...

CONÉCTALO

① REPASA

¿Cuántas estampillas le quedan a Chen? ....

② SIGUE ADELANTE

Puedes restar números de diferentes maneras. Formar una decena es una manera de restar a números del 11 al 19.

Piensa en $14 - 5$. Descompón el 5. Muestra cómo restar a 14 para formar 10.

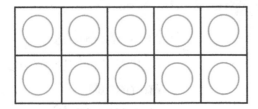 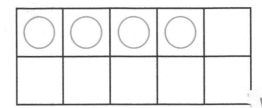

a. ¿Qué debes restar a 14 para formar 10? ....

b. ¿Cuánto más debes restar? ....

③ REFLEXIONA

¿Por qué restar 4 y luego restar 1 es lo mismo que restar 5?

....

....

....

....

Prepárate para usar estrategias de cálculo mental para restar

1 Piensa en lo que sabes acerca de las diferentes maneras de restar. Llena cada recuadro. Usa palabras, números y dibujos. Muestra tantas ideas como puedas.

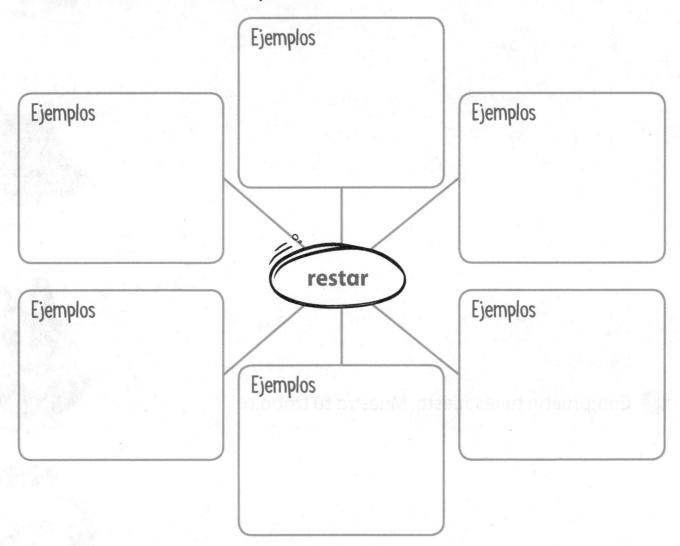

Ejemplos

Ejemplos

Ejemplos

restar

Ejemplos

Ejemplos

Ejemplos

2 Explica cómo restarías 11 − 7.

3 Resuelve el problema. Muestra tu trabajo.

Parnell tiene 12 calcomanías. Da 7 a sus amigos. ¿Cuántas calcomanías le quedan a Parnell?

Solución ....

4 Comprueba tu respuesta. Muestra tu trabajo.

Desarrolla Contar hacia delante y formar una decena para restar

Lee el siguiente problema y trata de resolverlo.

> Sarah compra 11 globos para su fiesta. Durante la fiesta regala 8 de los globos. ¿Cuántos globos le quedan a Sarah?

PRUÉBALO

Herramientas matemáticas
- fichas
- marcos de 10

CONVERSA CON UN COMPAÑERO

Pregúntale: ¿Por qué elegiste esa estrategia?

Dile: Un modelo que usé fue . . . Me ayudó a . . .

Explora diferentes maneras de entender cómo resolver problemas de resta mentalmente.

> **Sarah compra 11 globos para su fiesta. Durante la fiesta regala 8 de los globos. ¿Cuántos globos le quedan a Sarah?**

HAZ UN MODELO

Puedes contar hacia delante para restar.

Puedes hallar $11 - 8 = ?$ hallando $8 + ? = 11$.

Comienza en 8 en la tabla. Cuenta hacia delante hasta llegar a 11.

1	2	3	4	5	6	7	⑧	9	10
11	12	13	14	15	16	17	18	19	20

HAZ UN MODELO
Puedes formar una decena para restar.

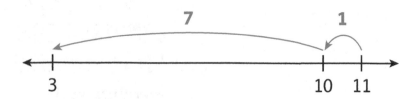

Resta 1 para formar una decena. $11 - 1 = 10$

Resta 7 más para restar 8 en total.

$10 - 7 = ?$

CONÉCTALO

Ahora vas a usar el problema de la página anterior para ayudarte a entender cómo contar hacia delante o formar una decena para restar.

1 Usa el primer **Haz un modelo** de la página anterior. ¿Qué número se obtiene después de contar hacia delante:

¿1 más que 8? ....

¿2 más que 8? ....

¿3 más que 8? ....

2 Completa las ecuaciones.

8 + ... = 11   11 − 8 = ...

3 Usa el segundo **Haz un modelo** de la página anterior. Completa las ecuaciones.

11 − 1 = ...

10 − 7 = ... Por lo tanto, 11 − 8 = ...

4 ¿Cuántos globos le quedan a Sarah? ....

5 REFLEXIONA

Repasa **Pruébalo**, las estrategias de tus compañeros y los **Haz un modelo**. ¿Qué modelos o estrategias prefieres para restar mentalmente? Explica.

....

....

APLÍCALO

Usa lo que acabas de aprender para resolver estos problemas.

6 Muestra cómo hallar $12 - 7 = ?$ contando hacia delante.

7 Halla $14 - 7$ formando una decena usando ecuaciones.

Solución ....

8 Usa tu respuesta al problema 7 para llenar los recuadros en la recta numérica abierta.

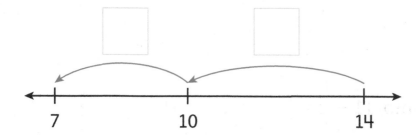

Practica contar hacia delante y formar una decena para restar

Estudia cómo el Ejemplo muestra contar hacia delante para restar mentalmente. Luego resuelve los problemas 1 a 6.

EJEMPLO

$13 - 9 = ?$

Piensa en esto como $9 + ? = 13$.

⑨	10	11	12	13
	/	/	/	/

Cuenta hacia delante para llegar de 9 a 13.

Las marcas muestran cuánto contaste hacia delante.

Resuelve el problema de suma. $9 + 4 = 13$

Resuelve el problema de resta. $13 - 9 = 4$

1 Completa los espacios en blanco en cada ecuación.

$9 - 4 = ?$ es lo mismo que _____ $+ ? =$ _____.

$8 - 3 = ?$ es lo mismo que _____ $+ ? =$ _____.

$11 - 7 = ?$ es lo mismo que _____ $+ ? =$ _____.

$15 - 8 = ?$ es lo mismo que _____ $+ ? =$ _____.

2 Completa cada dato de suma para resolver la ecuación de resta.

$4 +$ _____ $= 9$; por lo tanto, $9 - 4 =$ _____.

$3 +$ _____ $= 8$; por lo tanto, $8 - 3 =$ _____.

$7 +$ _____ $= 11$; por lo tanto, $11 - 7 =$ _____.

$8 +$ _____ $= 15$; por lo tanto, $15 - 8 =$ _____.

3 Forma una decena para restar. Completa los recuadros en la recta numérica abierta para mostrar 12 − 4 = 8.

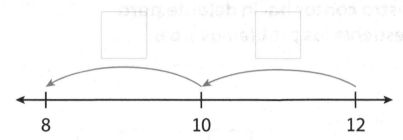

4 Completa las ecuaciones.

12 − ☐ = 10   16 − ☐ = 10

13 − ☐ = 10   15 − ☐ = 10

5 Completa los recuadros para hallar 15 − 9.

15 − 9 = ?

15 − 9 = ☐

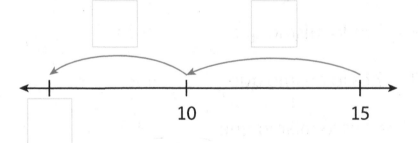

6 Jan encerró en un círculo los problemas que no puede resolver mentalmente formando una decena.

14 − 7   (8 − 2)   12 − 8

(9 − 4)   15 − 6

Mira todos los problemas. ¿Por qué Jan no forma una decena para resolver los problemas encerrados en un círculo?

Desarrolla Usar familias de datos para ayudarte a restar

Lee el siguiente problema y trata de resolverlo.

> Hay 15 pájaros nadando en un estanque. Luego 9 pájaros se van volando. ¿Cuántos pájaros quedan?

PRUÉBALO

Herramientas matemáticas
- tabla numérica del 1 al 20
- rectas numéricas

CONVERSA CON UN COMPAÑERO

Pregúntale: ¿Cómo empezaste a resolver el problema?

Dile: Yo ya sabía que . . . así que . . .

Explora otra manera de entender cómo resolver problemas de resta mentalmente.

> **Hay 15 pájaros nadando en un estanque. Luego 9 pájaros se van volando. ¿Cuántos pájaros quedan?**

HAZ UN MODELO

Usa una familia de datos para resolver el problema.

Halla la **diferencia** $15 - 9$.

Usa el enlace numérico para escribir una **familia de datos**.

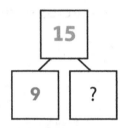

$9 + ? = 15$ $15 - 9 = ?$

$? + 9 = 15$ $15 - ? = 9$

CONÉCTALO

Ahora vas a usar el problema de la página anterior para ayudarte a entender cómo usar una familia de datos para restar.

1 Mira **Haz un modelo**. Completa el enlace numérico.

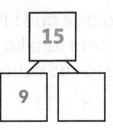

2 Usa el enlace numérico del problema 1 para completar los cuatro datos para esta familia de datos.

$9 +$ .... $= 15$ $\qquad$ $15 - 9 =$ ....

.... $+ 9 = 15$ $\qquad$ $15 -$ .... $= 9$

3 ¿Cuántos pájaros quedan en el estanque? ....

4 Usa este enlace numérico para completar otra familia de datos.

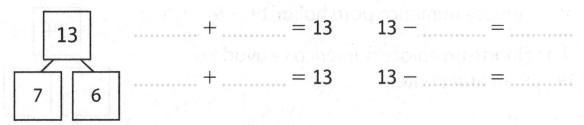

.... $+$ .... $= 13$ $\qquad$ $13 -$ .... $=$ ....

.... $+$ .... $= 13$ $\qquad$ $13 -$ .... $=$ ....

5 REFLEXIONA

Repasa **Pruébalo**, las estrategias de tus compañeros y **Haz un modelo**. ¿Qué modelos o estrategias prefieres para resolver problemas de resta mentalmente? Explica.

....

....

....

APLÍCALO

Usa lo que acabas de aprender para resolver estos problemas.

6 Tia dice que las siguientes ecuaciones pertenecen a la misma familia de datos porque ambas tienen 5 y 8. ¿Estás de acuerdo? Explica.

$5 + 8 = 13$ $\qquad$ $8 - 5 = 3$

7 Completa los espacios en blanco en la ecuación.

$14 - 9 = ?$ es lo mismo que $\underline{\hspace{1cm}} + ? = \underline{\hspace{1cm}}$.

8 Completa el enlace numérico para hallar $14 - 9$.

9 ¿Cómo imaginarte un enlace numérico te ayuda a hallar $14 - 9$ mentalmente?

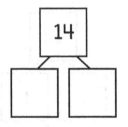

10 ¿Qué ecuaciones hay en la familia de datos con $10 - 2 = 8$?

Ⓐ $8 + 2 = 10$

Ⓑ $10 - 8 = 2$

Ⓒ $10 + 2 = 12$

Ⓓ $12 - 8 = 4$

Ⓔ $2 + 8 = 10$

Practica usar familias de datos para ayudarte a restar

Estudia el Ejemplo, que muestra cómo la suma te ayuda a restar. Luego resuelve los problemas 1 a 6.

EJEMPLO

Resuelve $9 - 5$.

Haz un enlace numérico.

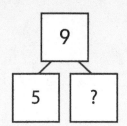

Escribe un problema de suma.
Resuélvelo.

$$5 + ? = 9$$

$$5 + 4 = 9$$

Luego resuelve la resta.

$$9 - 5 = 4$$

1 Completa el enlace numérico para mostrar $15 - 6 = ?$.

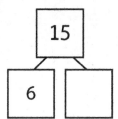

2 Escribe una ecuación de suma para el enlace numérico del problema 1. Luego completa la ecuación de resta.

.... + ... = ...

$15 - 6 =$ ....

3 Completa el enlace numérico. Escribe cuatro ecuaciones.

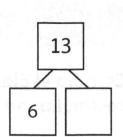

.... + ... = 13   13 − .... = ...

13 = ... + ... = 13 − ....

4 Completa el enlace numérico para mostrar $16 - 7 = ?$.

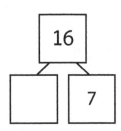

5 Escribe la familia de datos para el enlace numérico del problema 4.

.... + ... = ... + ... = ...

.... − .... = ... − .... = ...

6 Jose hornea 12 pastelitos. Da 9 pastelitos a sus amigos. ¿Cuántos pastelitos le quedan a Jose?

Escribe una ecuación de resta para el problema. Luego escribe y resuelve una ecuación de suma relacionada. Usa la ecuación de suma para resolver la ecuación de resta.

.... − .... = ?

.... + ... = ...

Por lo tanto, ... − .... = ...

A Jose le quedan .... pastelitos.

Refina Usar estrategias de cálculo mental para restar

Completa el Ejemplo siguiente. Luego resuelve los problemas 1 a 3.

EJEMPLO

Kendra tenía algunas fresas. Se comió 5. Ahora tiene 8 fresas. ¿Cuántas fresas tenía Kendra al principio?

Escribe una ecuación con un número desconocido. Puedes mostrar los números en un enlace numérico.

$? - 5 = 8$

Kendra comió 5 fresas. Le quedaron 8 fresas. Suma $8 + 5$ para hallar el número desconocido con el que comenzó.

$8 + 5 = 13$. Por lo tanto, $13 - 5 = 8$.

```
      ?
     / \
    5   8
```

Solución ....

APLÍCALO

1 Greg tiene 18 dólares. Gasta 9 en un juego. ¿Cuánto dinero le queda a Greg? Muestra tu trabajo.

¿Resulta útil formar una decena?

Solución ....

2 Halla 12 – 8 contando hacia delante.
Muestra tu trabajo.

¿Desde qué número contarías hacia delante?

Solución . . . .

3 ¿Qué ecuaciones habría en la familia de datos para el enlace numérico?

Ⓐ $12 = 7 + 5$

Ⓑ $19 = 12 + 7$

Ⓒ $7 = 12 - 5$

Ⓓ $12 = 5 + 7$

Ⓔ $5 = 12 - 7$

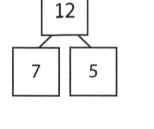

¿Qué sabes acerca de todas las familias de datos?

Lily eligió Ⓑ como respuesta correcta. ¿Cómo obtuvo ella esa respuesta?

Practica usar estrategias de cálculo mental para restar

1. Eli compró 12 naranjas. Usó 7 para preparar una ensalada de frutas. ¿Cuántas naranjas le quedan? Muestra tu trabajo.

> ¿Resulta útil formar una decena?

Solución ....

2. Leti tenía algunas calcomanías. Dio 10 calcomanías a su hermano. Ahora a Leti le quedan 10 calcomanías. ¿Cuantas calcomanías tenía Leti al principio? Muestra tu trabajo.

> ¿Puedes sumar para restar?

Solución ....

3 Sonia tiene 15 juguetes. Coloca 8 en un estante. ¿Cuántos le quedan?

¿Podrías usar la ecuación para resolver este problema? Elige *Sí* o *No* para cada ecuación.

¿Puedes resolver el problema usando datos relacionados en la misma familia de datos?

	Sí	**No**
$? + 8 = 15$	Ⓐ	Ⓑ
$15 + 8 = ?$	Ⓒ	Ⓓ
$15 - 8 = ?$	Ⓔ	Ⓕ
$8 + 15 = ?$	Ⓖ	Ⓗ

4 ¿Cuánto es $13 - 9$?

Ⓐ 3

Ⓑ 4

Ⓒ 5

Ⓓ 10

Puedes contar hacia delante o formar una decena para resolver este problema.

David eligió Ⓒ como respuesta correcta.

¿Cómo obtuvo David su respuesta?

Refina Usar estrategias de cálculo mental para restar

APLÍCALO

Resuelve los problemas.

1 Javier tiene 12 huevos. Cocina 3 huevos para el desayuno. ¿Cuántos huevos le quedan a Javier?

Ⓐ 15

Ⓑ 10

Ⓒ 9

Ⓓ 5

2 ¿Qué ecuaciones hay en la familia de datos para este enlace numérico?

Ⓐ $7 + 6 = 13$

Ⓑ $13 + 7 = 20$

Ⓒ $13 - 7 = 6$

Ⓓ $6 + 7 = 13$

Ⓔ $13 - 6 = 7$

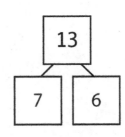

3 ¿Puedes formar una decena para resolver el problema? Elige *Sí* o *No* para cada problema.

	Sí	No
14 − 7	Ⓐ	Ⓑ
10 − 2	Ⓒ	Ⓓ
9 − 3	Ⓔ	Ⓕ
12 − 4	Ⓖ	Ⓗ

4 Resuelve $12 - 5 = ?$ usando un dato de suma relacionado. Muestra cómo resolviste el problema.

Solución ....

5 Muestra una manera de hallar $16 - 9$.
Muestra tu trabajo.

Solución ....

6 DIARIO DE MATEMÁTICAS

¿De qué dos maneras puedes hallar $17 - 8$? Explica.

☑ COMPRUEBA TU PROGRESO Vuelve al comienzo de la Unidad 1 y mira qué destrezas puedes marcar.

Resuelve problemas verbales de un paso

Estimada familia:

Esta semana su niño está aprendiendo diferentes maneras de resolver problemas verbales de un paso usando la suma o la resta.

Considere el siguiente problema verbal.

Alex tiene 13 palitos de zanahoria. Se come 5 palitos. ¿cuántos palitos le quedan?

Puede representar este problema de muchas maneras.

Puede escribir lo que sabe y lo que no sabe.	**Puede usar un enlace numérico.**
Total de palitos: 13 Palitos comidos: 5 Palitos que quedan: ?	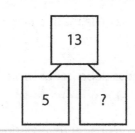

Puede usar un diagrama de barras (también llamado diagrama de cinta.)

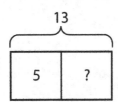

Cada uno de estos modelos lo ayudará a escribir todas las operaciones de la familia de datos.

$$13 - 5 = ? \qquad 13 - ? = 5 \qquad 5 + ? = 13 \qquad ? + 5 = 13$$

Puede resolver el problema para hallar que a Alex le quedan 8 palitos de zanahoria.

Invite a su niño a compartir lo que sabe sobre los problemas verbales de un paso haciendo juntos la siguiente actividad.

Haga la siguiente actividad con su niño para explorar resolver problemas verbales de un paso.

Materiales 20 objetos pequeños (monedas de 1¢, botones, galletas pequeñas); una taza u otro recipiente

- Coloque 9 monedas de 1¢ en una taza y 6 sobre la mesa.

- Pida a su niño que resuelva estos cuatro problemas. En cada caso, diga una ecuación que podría usarse para resolver el problema (escrita entre paréntesis). Luego, pida a su niño que identifique todas las ecuaciones relacionadas dentro de la misma familia de datos.

  1. ¿Cuántas monedas hay en total? $(9 + 6 = 15)$

  2. ¿Cuántas monedas más hay en la taza que en la mesa? $(9 - 6 = 3)$

  3. Si saco 2 monedas de la taza, ¿cuántas monedas quedarán en la taza? $(9 - 2 = 7)$

  4. ¿Cuántas monedas debo poner sobre la mesa para tener 10 monedas sobre la mesa? $(10 - 6 = 4)$

- Repita la actividad con una cantidad distinta de monedas en la taza y en la mesa.

Respuestas:
1. $9 + 6 = 15$; $6 + 9 = 15$; $15 - 9 = 6$; $15 - 6 = 9$
2. $9 - 6 = 3$; $9 - 3 = 6$; $3 + 6 = 9$; $6 + 3 = 9$
3. $9 - 2 = 7$; $9 - 7 = 2$; $2 + 7 = 9$; $7 + 2 = 9$
4. $10 - 6 = 4$; $10 - 4 = 6$; $4 + 6 = 10$; $6 + 4 = 10$

Explora Resolver problemas verbales de un paso

Has usado diferentes estrategias para sumar y restar. Usa lo que sabes para tratar de resolver el siguiente problema.

> Seth tiene 9 uvas. Su papá le da algunas uvas más. Ahora Seth tiene 15 uvas. ¿Cuántas uvas le dio su papá?

PRUÉBALO

Herramientas matemáticas
• fichas
• marcos de 10

CONVERSA CON UN COMPAÑERO

Pregúntale: ¿Puedes explicarme eso otra vez?

Dile: Estoy de acuerdo contigo en que . . . porque . . .

CONÉCTALO

1 REPASA

¿Cuántas uvas le dio su papá a Seth? ....

2 SIGUE ADELANTE

a. Puedes usar modelos para mostrar el problema de la página anterior. Completa el diagrama de barras y el enlace numérico con los números desconocidos.

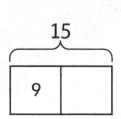
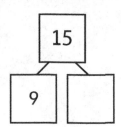

b. El signo ? y el **signo de igual (=)** pueden estar en diferentes lugares en los modelos y las ecuaciones. Escribe el número desconocido en cada ecuación.

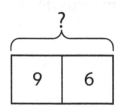
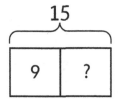
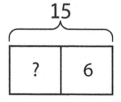

.... $= 9 + 6$ $15 = 9 +$ .... $15 =$ .... $+ 6$

3 REFLEXIONA

Mira una de las ecuaciones que escribiste. ¿Cómo muestra la ecuación el problema?

....

....

....

Prepárate para resolver problemas verbales de un paso

1 Piensa en lo que sabes acerca de las ecuaciones. Llena cada recuadro. Usa palabras, números y dibujos. Muestra tantas ideas como puedas.

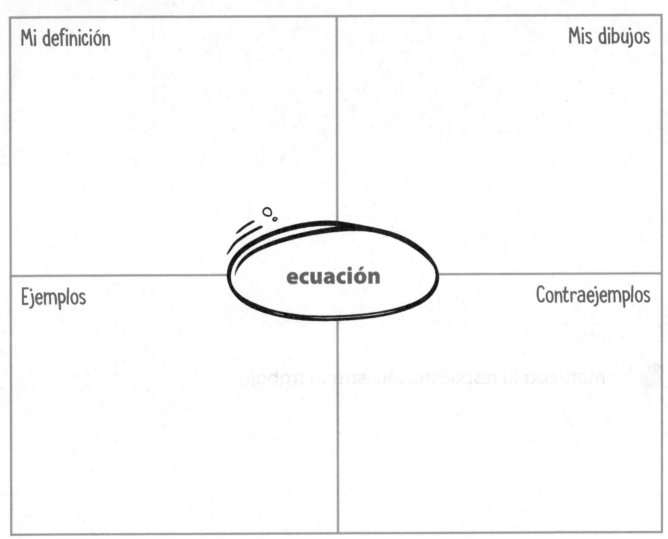

Mi definición	Mis dibujos
Ejemplos	**Contraejemplos**

ecuación

2 ¿Por qué las ecuaciones 7 + ? = 15 y 15 − ? = 7 tienen la misma solución?

3 Resuelve el problema. Muestra tu trabajo.

Fola tiene 8 bayas. Su papá le da algunas bayas más. Ahora Fola tiene 13 bayas. ¿Cuántas bayas le dio su papá a Fola?

Solución ....

4 Comprueba tu respuesta. Muestra tu trabajo.

Desarrolla Resolver problemas verbales de separar

Lee el siguiente problema y trata de resolverlo.

> Hay 15 jugadores en un equipo.
> Hay 7 niñas. El resto de los jugadores son varones. ¿Cuántos varones hay en el equipo?

PRUÉBALO

Herramientas matemáticas

- fichas
- marcos de 10
- diagramas de barras en blanco

CONVERSA CON UN COMPAÑERO

Pregúntale: ¿Por qué elegiste esa estrategia?

Dile: No sé bien cómo hallar la respuesta porque...

Explora diferentes maneras de entender cómo resolver problemas verbales.

> **Hay 15 jugadores en un equipo. Hay 7 niñas. El resto de los jugadores son varones. ¿Cuántos varones hay en el equipo?**

HAZ UN DIBUJO

Puedes hacer un dibujo.

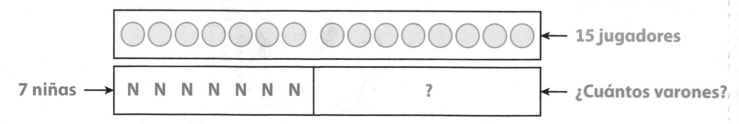

15 jugadores

7 niñas → N N N N N N N | ? ← ¿Cuántos varones?

HAZ UN MODELO

Puedes usar palabras y números en un diagrama de barras.

total: 15

niñas: 7 | varones: ?

CONÉCTALO

Ahora vas a usar el problema de la página anterior para ayudarte a entender cómo resolver un problema verbal de separar.

1 ¿Qué número es el total? ¿Qué parte conoces? Completa el modelo de la derecha.

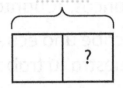

2 Completa las dos ecuaciones para el modelo.

.... $+ ? = 15$ 　　　　　$15 -$ .... $= ?$

3 ¿Cuántos varones hay en el equipo? Di cómo lo sabes.

4 ¿Por qué puedes sumar o restar para resolver el problema de la página anterior?

5 REFLEXIONA

Repasa **Pruébalo**, las estrategias de tus compañeros, **Haz un dibujo** y **Haz un modelo**. ¿Qué modelos o estrategias prefieres para resolver problemas verbales? Explica.

....

....

....

APLÍCALO

Usa lo que acabas de aprender para resolver estos problemas.

6 Jen tiene 12 lápices. 7 son azules y los otros son blancos. ¿Cuántos lápices blancos tiene?

Escribe una ecuación para resolver el problema. Muestra tu trabajo.

Solución ....

7 Fiona tiene 13 libros. ¿Cuál es una manera en la que podría dar todos los libros a su hermano y su hermana? Muestra tu trabajo.

Solución ....

....

8 Kendra tiene 17 calcomanías. Da algunas calcomanías a sus amigas. Luego le quedan 9 calcomanías. ¿Qué ecuaciones podrías resolver para hallar cuántas calcomanías le quedan a Kendra?

Ⓐ $17 = ? - 9$

Ⓑ $? = 17 - 9$

Ⓒ $17 = 9 + ?$

Ⓓ $17 = ? + 9$

Ⓔ $? = 17 + 9$

Practica resolver problemas verbales de separar

Estudia el Ejemplo, que muestra una manera de resolver un problema verbal de separar. Luego resuelve los problemas 1 a 5.

EJEMPLO

Un carrito tiene 14 libros. Hay 6 libros en el estante de abajo. Los otros están en el estante de arriba. ¿Cuántos libros hay en el estante de arriba?

Puedes usar un diagrama de barras.	Escribe lo que sabes.	Escribe una ecuación. Resuélvela.
total ┌─────┬─────┐ │parte│parte│ └─────┴─────┘	14 ┌─────┬─────┐ │ 6 │ ? │ └─────┴─────┘	$14 - 6 = ?$ $14 - 6 = 8$

Hay 8 libros en el estante de arriba.

① Completa el diagrama de barras del Ejemplo. Luego completa la ecuación.

$14 =$ .... $+$ ....

14
┌─────┬─────┐
│ 6 │   │
└─────┴─────┘

② Mira la ecuación que escribiste en el problema 1. Explica lo que indica tu ecuación acerca de los libros del Ejemplo.

3 Rik cosechó 16 manzanas. Conservó 9 manzanas. Dio el resto a sus amigos. ¿Cuántas manzanas dio Rik a sus amigos?

Elige *Sí* o *No* para decir si cada información se da en el problema.

	Sí	No
el número de manzanas que Rik cosechó	Ⓐ	Ⓑ
el número de manzanas que Rik dio a sus amigos	Ⓒ	Ⓓ
el número de manzanas que Rik comió	Ⓔ	Ⓕ
el número de manzanas que Rik conservó	Ⓖ	Ⓗ

4 Mira el problema 3. Completa el diagrama de barras y resuelve el problema. Di cómo hallaste tu respuesta.

16

Rik dio a sus amigos .... manzanas.

5 Hay 11 ranas que viven en dos estanques. ¿Cuántas ranas podría haber en cada estanque? Muestra tu trabajo.

Solución ....

....

Desarrolla Resolver problemas verbales de comparación

Lee el siguiente problema y trata de resolverlo.

En un bolso pequeño caben 3 pelotas de futbol menos que en un bolso grande. En el bolso pequeño caben 9 pelotas de futbol. ¿Cuántas pelotas caben en el bolso grande?

PRUÉBALO

Herramientas matemáticas
- fichas ⬤
- marcos de 10
- diagramas de barras en blanco

CONVERSA CON UN COMPAÑERO

Pregúntale: ¿Estás de acuerdo conmigo? ¿Por qué sí o por qué no?

Dile: Yo ya sabía que . . . así que . . .

Explora diferentes maneras de entender cómo resolver
problemas verbales de comparación.

> **En un bolso pequeño caben 3 pelotas de
> futbol menos que en un bolso grande.
> En el bolso pequeño caben 9 pelotas
> de futbol. ¿Cuántas pelotas caben
> en el bolso grande?**

EXPLÍCALO

**Puedes escribir lo que sabes y
lo que no sabes.**

Sé: bolso pequeño = **9** pelotas

Sé: bolso pequeño + **3** = bolso grande

Hallar: ¿Cuántas pelotas hay en el bolso grande?

HAZ UN DIBUJO

Puedes hacer un dibujo.

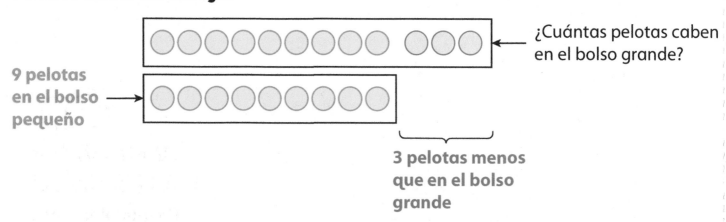

¿Cuántas pelotas caben
en el bolso grande?

9 pelotas
en el bolso
pequeño

3 pelotas menos
que en el bolso
grande

CONÉCTALO

Ahora vas a usar el problema de la página anterior para ayudarte a entender cómo escribir una ecuación para resolver un problema verbal de comparación.

1 ¿Cuántas pelotas caben en el bolso pequeño?

2 ¿Cuántas pelotas más caben en el bolso grande que en el bolso pequeño?

3 Escribe una ecuación de suma para resolver el problema. ¿Qué muestra la ecuación?

4 ¿Puedes escribir una ecuación de resta para hallar la respuesta a este problema? Explica.

5 REFLEXIONA

Repasa **Pruébalo**, las estrategias de tus compañeros, **Explícalo** y **Haz un dibujo**. ¿Qué modelos o estrategias prefieres para resolver problemas verbales de comparación? Explica.

APLÍCALO

Usa lo que acabas de aprender para resolver estos problemas.

6 Ted tiene 8 globos blancos y Mike tiene 6 globos rojos. ¿Cuántos globos más tiene Ted que Mike? Muestra tu trabajo.

Solución ....

7 Explica cómo resolverías este problema.

Ken tiene 10 carros de juguete. Tiene 4 carros de juguete más que Sarah. ¿Cuántos carros de juguete tiene Sarah?

8 Sally tiene algunos dibujos grandes y 9 dibujos pequeños. Tiene 5 dibujos grandes menos que dibujos pequeños. ¿Cuántos dibujos grandes tiene Sally?

Ⓐ 4

Ⓑ 5

Ⓒ 9

Ⓓ 14

Practica resolver problemas verbales de comparación

Estudia el Ejemplo, que muestra una manera de resolver un problema verbal de comparación. Luego resuelve los problemas 1 a 4.

EJEMPLO

Maya tiene 4 hámsters y algunos ratones. Tiene 3 hámsters menos que ratones. ¿Cuántos ratones tiene Maya?

Piensa en lo que sabes.

Hay **3 hámsters menos** que ratones.
Eso significa que hay **3 ratones más** que hámsters.

Haz un dibujo.

Escribe una ecuación. $4 + 3 = 7$

Maya tiene 7 ratones.

1 Hay 4 marcadores menos que crayones. Encierra en un círculo *menos* o *más* para completar cada oración.

Hay 4 marcadores menos/más que crayones.

Eso significa que hay 4 crayones menos/más que marcadores.

2 Hay 4 marcadores menos que crayones. Hay 6 marcadores. ¿Cuántos crayones hay? Muestra tu trabajo.

Solución ....

3 Hay 8 niños de pie. Hay 3 niños menos de pie que sentados. ¿Cuántos niños están sentados?

Ⓐ 3

Ⓑ 5

Ⓒ 8

Ⓓ 11

4 Dara tiene 12 fichas. Diego tiene 7 fichas. ¿Cuántas fichas menos tiene Diego? Muestra tu trabajo.

Solución ....

Refina Resolver problemas verbales de diferentes tipos

Completa el Ejemplo siguiente. Luego resuelve los problemas 1 a 3.

EJEMPLO

Sue obtiene 13 puntos. En su siguiente turno pierde 6 puntos. ¿Cuántos puntos tiene Sue ahora?

Puedes hacer un dibujo.

puntos de Sue ●●●●●●●●●/̸/̸/̸/̸/̸/̸

| puntos obtenidos | − | puntos perdidos | = | puntos que Sue tiene ahora |

$$13 - 6 = 7$$

Solución ....

APLÍCALO

1 Hay 14 perros en el parque para perros. Hay 6 perros negros. Los otros son marrones. ¿Cuántos perros marrones hay en el parque para perros? Muestra tu trabajo.

Solución ....

2 Kim tenía 12 calcomanías. Dio algunas a su hermana. Ahora a Kim le quedan 6 calcomanías. ¿Cuántas calcomanías dio Kim a su hermana? Muestra tu trabajo.

Puedes sumar o restar para hallar la respuesta.

Solución ....

3 Kyle tenía algunos peces en una pecera. Ana colocó 4 peces más. Ahora hay 11 peces en la pecera. ¿Cuántos peces había en la pecera al principio?

¿Había menos o más peces en la pecera al principio?

Ⓐ 4

Ⓑ 7

Ⓒ 8

Ⓓ 15

Deb eligió Ⓑ como respuesta correcta. ¿Cómo obtuvo Deb su respuesta?

Practica resolver diferentes tipos de problemas verbales

1 Sid tenía 17 flores. Vendió algunas. Ahora tiene 9 flores. ¿Cuántas flores vendió?

Elige *Sí* o *No* para decir si cada información se da en el problema.

	Sí	No
el número de flores que tenía Sid al principio	Ⓐ	Ⓑ
el número de flores que vendió Sid	Ⓒ	Ⓓ
el número de flores que Sid tiene ahora	Ⓔ	Ⓕ

> Puede resultar útil subrayar la información que se da en el problema.

2 Sid tenía 17 flores. Vendió algunas. Ahora tiene 9 flores. ¿Cuántas flores vendió?

Ⓐ 6

Ⓑ 7

Ⓒ 8

Ⓓ 9

> Puedes contar hacia delante o restar para hallar la respuesta.

3 Juan tiene 9 monedas de 25¢. ¿Cuántas monedas puede colocar en su alcancía roja y cuántas puede colocar en su alcancía azul? Muestra tu trabajo.

¿Qué es lo que sabes?

Solución ....

4 Lin tiene 4 piñas de pino y algunas bellotas. Tiene 7 piñas menos que bellotas. ¿Cuántas bellotas tiene Lin?

¿Tiene Lin más piñas de pino o más bellotas?

Ⓐ 3

Ⓑ 4

Ⓒ 7

Ⓓ 11

Tom eligió Ⓐ. ¿Cómo obtuvo Tom su respuesta?

Refina Resolver problemas verbales de diferentes tipos

APLÍCALO

Resuelve los problemas.

1 Hay 4 niños sobre una alfombra. Llegan más niños. Ahora hay 10 niños sobre la alfombra. ¿Cuántos niños se sumaron a los primeros 4 niños?

Ⓐ 4

Ⓑ 5

Ⓒ 6

Ⓓ 14

2 Hay 5 vacas en el establo. Hay 8 vacas más en el campo que en el establo. ¿Cuántas vacas hay en el campo?

Ⓐ 3   Ⓑ 8

Ⓒ 12   Ⓓ 13

3 Jin tiene 9 marcadores. Tiene 5 marcadores más que lápices. ¿Cuántos lápices tiene Jin?

Elige *Sí* o *No* para decir si cada ecuación podría usarse para resolver el problema.

	Sí	No
$9 - 5 = 4$	Ⓐ	Ⓑ
$9 + 5 = 14$	Ⓒ	Ⓓ
$14 - 5 = 9$	Ⓔ	Ⓕ
$5 + 4 = 9$	Ⓖ	Ⓗ

4 Rick tiene algunas canicas en una bolsa. Agrega 4 canicas a la bolsa. Ahora tiene 13 canicas. ¿Cuántas canicas tenía Rick al principio?

Completa los espacios en blanco. Luego elige todas las ecuaciones que puedan usarse para resolver el problema.

Ⓐ $13 - 4 = \underline{\hspace{2cm}}$

Ⓑ $13 - \underline{\hspace{2cm}} = 4$

Ⓒ $13 + 4 = \underline{\hspace{2cm}}$

Ⓓ $\underline{\hspace{2cm}} + 4 = 13$

5 Escribe un problema que se pueda resolver usando el diagrama de barras de la derecha. Luego muestra cómo resolver tu problema.

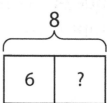

6 DIARIO DE MATEMÁTICAS

Si el 8 del diagrama de barras de arriba se cambia a 9, ¿cómo cambiaría tu problema? ¿Cómo cambiaría tu respuesta?

☑ COMPRUEBA TU PROGRESO Vuelve al comienzo de la Unidad 1 y mira qué destrezas puedes marcar.

Dibuja y usa gráficas de barras y pictografías

Estimada familia:

Esta semana su niño está aprendiendo sobre pictografías y gráficas de barras.

Las pictografías y las gráficas de barras son dos maneras de mostrar datos, o conjuntos de información.

Esta **pictografía** muestra a la derecha que hubo 3 días soleados, 1 día lluvioso, 2 días nublados y 1 día con nieve durante la semana pasada. Cada símbolo representa 1 día.

El tiempo la semana pasada

Soleado	☀ ☀ ☀
Lluvioso	🌧
Nublado	☁ ☁
Con nieve	❄

Esta **gráfica de barras** muestra la fruta favorita de 10 amigos. La altura de cada barra muestra cuántos amigos prefieren cada tipo de fruta.

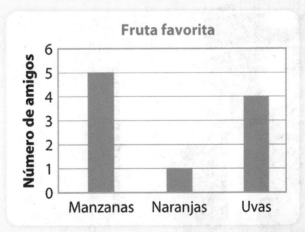

Fruta favorita

Invite a su niño a compartir lo que sabe sobre gráficas haciendo juntos la siguiente actividad.

ACTIVIDAD GRÁFICAS

Haga la siguiente actividad con su niño para dibujar gráficas de barras y pictografías.

Materiales 10 a 12 monedas, marcadores

Practique cómo hacer una pictografía y una gráfica de barras con su niño.

- Reúna entre 10 y 12 monedas diferentes.

- Pida a su niño que las clasifique en monedas de 1¢, de 5¢, de 10¢ y de 25¢, y que cuente el número de cada tipo de moneda.

- Complete la pictografía y la gráfica de barras con los datos. Dibuje círculos con los números 1, 5, 10 y 25 para mostrar las monedas en la pictografía.

- Haga a su niño preguntas sobre las gráficas. Por ejemplo: *¿Cuántas monedas más de 5¢ hay que monedas de 10¢?*

Monedas

Monedas de 1¢	
Monedas de 5¢	
Monedas de 10¢	
Monedas de 25¢	

Monedas

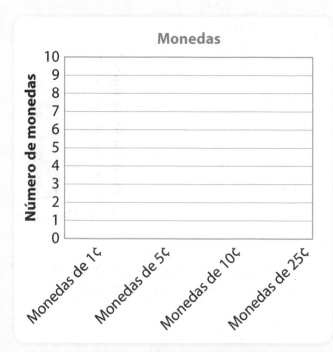

Explora Dibujar y usar gráficas de barras y pictografías

Ya sabes cómo sumar y restar para resolver problemas. Usa lo que sabes para tratar de resolver el siguiente problema.

Parker pide a sus amigos que le digan su vegetal favorito. Él organiza sus respuestas en una pictografía. ¿Cuántos amigos eligieron zanahorias o habichuelas?

Vegetales favoritos

Zanahorias   Habichuelas   Brócoli   Maíz

PRUÉBALO

Herramientas matemáticas
- fichas
- cubos conectables

CONVERSA CON UN COMPAÑERO

Pregúntale: ¿Estás de acuerdo conmigo? ¿Por qué sí o por qué no?

Dile: Estoy de acuerdo contigo en que . . . porque . . .

CONÉCTALO

1 REPASA

¿Cómo hallaste el número de amigos que eligieron zanahorias o habichuelas?

2 SIGUE ADELANTE

En una **gráfica de barras** se representan datos con barras.

a. ¿Qué representan los rótulos debajo de cada barra?

b. ¿Cuántos amigos eligen brócoli? ....

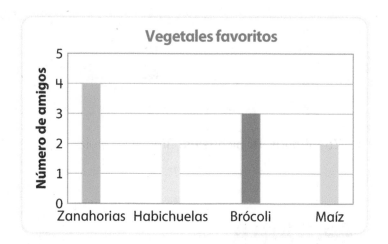

3 REFLEXIONA

¿En qué se parece la gráfica de barras y la **pictografía**?

....

....

....

Prepárate para dibujar y usar gráficas

1 Piensa en lo que sabes acerca de los datos. Llena cada recuadro.
Usa palabras, números y dibujos. Muestra tantas ideas
como puedas.

Palabra	En mis propias palabras	Ejemplo
datos		
gráfica de barras		
pictografía		

2 ¿Muestran la gráfica de barras y la pictografía los mismos datos?
Explica.

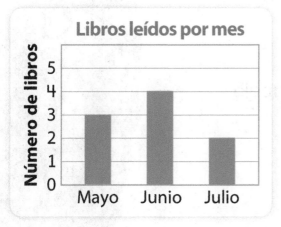

3 Resuelve el problema. Muestra tu trabajo.

Hana pide a sus amigas que le digan su fruta favorita. Ella organiza sus respuestas en una pictografía. ¿Cuántos amigas eligieron manzanas o bananas?

Fruta favorita	
Manzanas	
Uvas	
Bananas	
Naranjas	

Solución ....

4 Comprueba tu respuesta. Muestra tu trabajo.

Desarrolla Usar gráficas de barras y pictografías

Lee el siguiente problema y trata de resolverlo.

Martin pregunta a los estudiantes de su clase: *¿Cuál es tu deporte favorito?* Él hace una pictografía y una gráfica de barras para mostrar sus resultados. ¿A cuántos estudiantes pregunta Martin?

Deportes favoritos

Futbol Beisbol Tenis Futbol americano

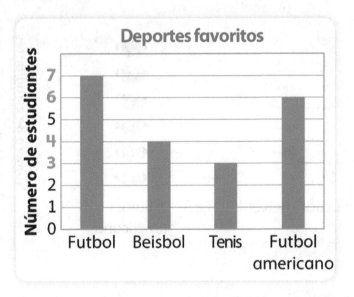

Deportes favoritos

PRUÉBALO

Herramientas matemáticas
- fichas
- marcos de 10
- cubos conectables

CONVERSA CON UN COMPAÑERO

Pregúntale: ¿Cómo empezaste a resolver el problema?

Dile: Al principio, pensé que . . .

Explora diferentes maneras de entender cómo usar gráficas de barras y pictografías.

Martin pregunta a los estudiantes de su clase: *¿Cuál es tu deporte favorito?* Él hace una pictografía y una gráfica de barras para mostrar sus resultados. ¿A cuántos estudiantes pregunta Martin?

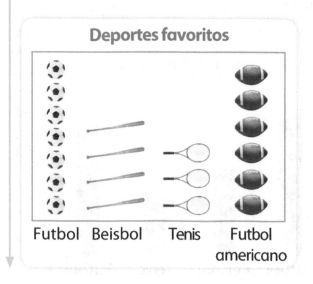

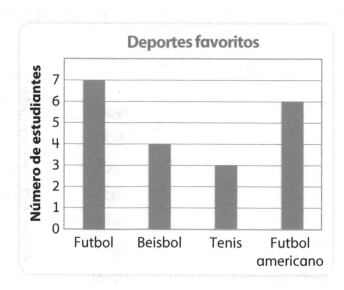

HAZ UN DIBUJO

Puedes sumar los totales de los dibujos de la pictografía.

Puedes sumar los totales de cada barra de la gráfica de barras.

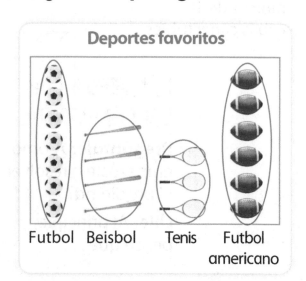

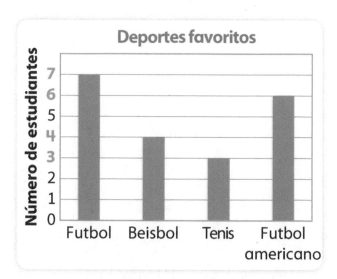

CONÉCTALO

Ahora vas a usar el problema de la página anterior para ayudarte a entender más acerca de las gráficas de barras y las pictografías.

1 ¿Cómo usas la pictografía para hallar el número de estudiantes que eligieron futbol?

2 ¿Cómo usas la gráfica de barras para hallar el número de estudiantes que eligieron futbol?

3 ¿Cuántos estudiantes eligieron futbol

como su deporte favorito? ....

4 ¿A cuántos estudiantes pregunta Martin? Explica cómo usar la gráfica de barras para hallar la respuesta.

5 REFLEXIONA

Repasa **Pruébalo**, las estrategias de tus compañeros y **Haz un dibujo**. ¿Qué tipo de gráfica prefieres para resolver un problema con datos? Explica.

APLÍCALO

Usa lo que acabas de aprender para resolver estos problemas.

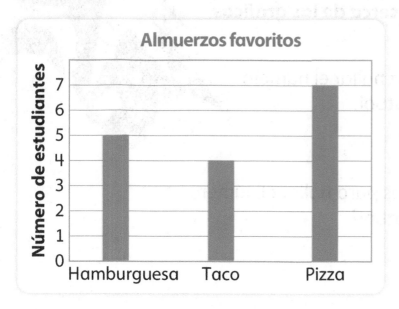

Almuerzos favoritos

Número de estudiantes

7
6
5
4
3
2
1
0

Hamburguesa Taco Pizza

6 ¿Cuántos estudiantes menos eligieron taco que pizza?

....

7 ¿Cuántos estudiantes eligieron hamburguesa o pizza?

....

8 ¿Qué enunciados son verdaderos acerca de los datos de la gráfica?

Ⓐ 3 estudiantes más eligieron pizza que tacos.

Ⓑ Las hamburguesas recibieron más votos.

Ⓒ 1 estudiante menos eligió tacos que hamburguesas.

Ⓓ 12 estudiantes eligieron hamburguesas o tacos.

Ⓔ En total votaron 17 estudiantes.

Practica usar gráficas de barras y pictografías

Estudia el Ejemplo, que muestra cómo usar una gráfica de barras. Luego resuelve los problemas 1 a 13.

EJEMPLO

Val cuenta las figuras de sus calcomanías. Ella dibuja una gráfica de barras. ¿Cuántas de sus calcomanías son círculos?

La barra para los círculos llega hasta la línea del 6.

Val tiene 6 calcomanías de círculos.

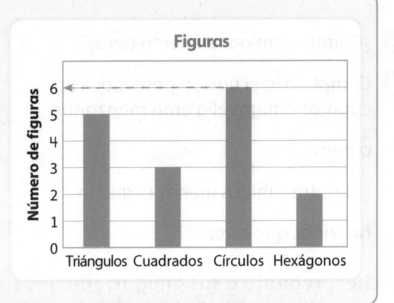

Usa la información del Ejemplo para resolver los problemas 1 a 4.

1 ¿Cuántos triángulos tiene Val? ....

2 ¿Cuántos hexágonos tiene Val? ....

3 Completa la ecuación para mostrar cuántos triángulos más que hexágonos tiene Val.

5 − .... = ...

4 Escribe una ecuación para mostrar cuántos cuadrados y círculos tiene Val en total.

.... + ... = ...

> **Vocabulario**
>
> **gráfica de barras** representación de datos en la cual se usan barras para mostrar el número de cosas de cada categoría.

**Saul pregunta a sus amigos: *¿Cuál es tu fruta favorita?*
Luego hace la siguiente pictografía.**

5 ¿Cuántos amigos eligieron manzanas?

....

6 ¿Cuántos amigos eligieron peras? ....

7 Completa la ecuación para mostrar
cuántos amigos eligieron manzanas

o peras. 7 + ... = ...

8 ¿Cuántos amigos menos eligieron

bananas que cerezas? ....

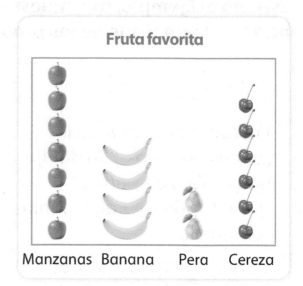

Fruta favorita

Manzanas Banana Pera Cereza

**Rachel pregunta a sus amigas: *¿Cuál es su instrumento
favorito?* Luego dibuja la siguiente gráfica de barras.**

9 ¿Cuántas amigas eligieron el piano?

....

10 ¿Cuántas amigas eligieron los

tambores? ....

11 ¿Cuántas amigas más eligieron

piano que tambores? ....

12 ¿Cuántas amigas menos eligieron

trompeta que guitarra? ....

13 ¿A cuántas amigas pregunta Rachel? ....

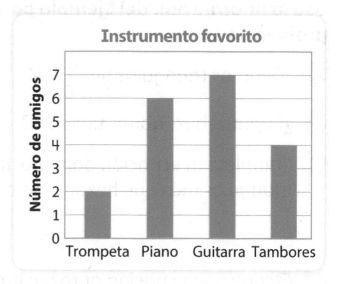

Instrumento favorito

Número de amigos

Trompeta Piano Guitarra Tambores

Desarrolla Dibujar gráficas de barras y pictografías

Lee el siguiente problema y trata de resolverlo.

> **Lynn visita un campo de manzanos. Mira una fila de manzanos. Ella anota el color de las manzanas de cada uno. Muestra una manera en la que Lynn podría organizar los datos. Luego haz una gráfica para mostrar los datos.**

> roja, roja, amarilla, verde, roja, verde,
>
> roja, roja, amarilla, roja, verde, verde

PRUÉBALO

Herramientas matemáticas
- cubos conectables
- papel cuadriculado

Explora diferentes maneras de entender cómo dibujar gráficas de barras y pictografías.

> **Lynn visita un campo de manzanos. Mira una fila de manzanos. Ella anota el color de las manzanas de cada uno. Muestra una manera en la que Lynn podría organizar los datos. Luego haz una gráfica para mostrar los datos.**

| roja, roja, amarilla, verde, roja, verde, |
| roja, roja, amarilla, roja, verde, verde |

HAZ UN MODELO
Puedes organizar los datos en una tabla de conteo.

Roja	Amarilla	Verde
Ⅲ卅Ⅰ	‖	‖‖

HAZ UN MODELO
Puedes organizar los datos en una tabla.

Color de la manzana	Número de manzanos
Roja	6
Amarilla	2
Verde	4

CONÉCTALO

Ahora vas a usar el problema de la página anterior para dibujar gráficas de barras y pictografías.

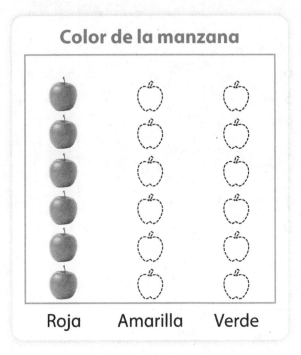

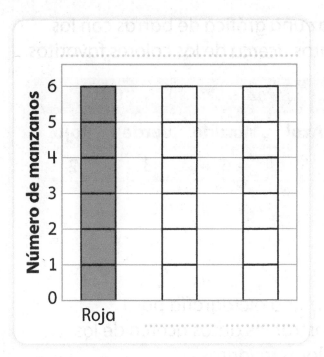

① Completa la pictografía coloreando las manzanas.

② En la gráfica de barras, completa el título y los rótulos.

③ Completa la gráfica de barras coloreando las barras.

④ REFLEXIONA

Repasa **Pruébalo**, las estrategias de tus compañeros, los **Haz un modelo** y **Conéctalo**. ¿Qué modelos o estrategias prefieres para organizar los datos y representarlos en una gráfica?

....

....

APLÍCALO

Usa lo que acabas de aprender para resolver estos problemas.

5 Haz una gráfica de barras con los datos acerca de los colores favoritos.

Colores favoritos			
Azul	**Morado**	**Verde**	**Rojo**
5	6	3	2

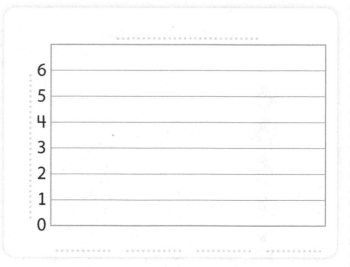

6 Haz una pictografía para mostrar los datos acerca de los colores favoritos.

7 Un estudiante cambia su color favorito de azul a verde. ¿Cómo cambiará esto tu gráfica de barras? ¿Cómo cambiará esto tu pictografía? Explica.

Practica dibujar gráficas de barras y pictografías

Estudia el Ejemplo, que muestra cómo dibujar una gráfica de barras a partir de una tabla de conteo. Luego resuelve los problemas 1 a 8.

EJEMPLO

Mia hace la siguiente tabla de conteo para mostrar los colores de las calcomanías de corazones que tiene. Luego dibuja una gráfica de barras.

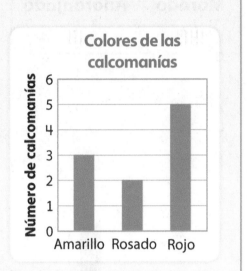

Amarillo	Rosado	Rojo
III	II	Ж

Mia escribe el título de su gráfica arriba.

Mia quiere hacer una pictografía. Usa los datos de la tabla de conteo de Mia.

1. Escribe un título en la línea que está sobre la gráfica.

2. Escribe el nombre del color que falta junto a *Amarillo* y *Rosado*.

3. Dibuja el número correcto de corazones sobre la palabra *Amarillo*.

4. Dibuja el número correcto de corazones sobre la palabra *Rosado*.

Carter hace esta tabla de conteo para mostrar los colores de las flores que tiene en su maceta. Usa los datos de la tabla de conteo de Carter para completar la gráfica de barras.

Blanco	Morado	Anaranjado
IIII	IIII II	III

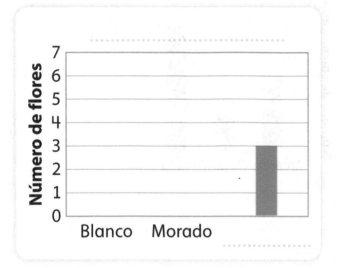

5 ¿Cuál es un buen título para la gráfica? Escríbelo en la línea sobre la gráfica.

6 Escribe el nombre del color que falta junto a *Blanco* y *Morado*.

7 Dibuja una barra para mostrar cuántas flores blancas hay.

8 Dibuja una barra para mostrar cuántas flores moradas hay.

Vocabulario

datos conjunto de información reunida.

Refina Dibujar y usar gráficas

Completa el Ejemplo siguiente. Luego resuelve los problemas 1 a 3.

EJEMPLO

Gavin hace una pictografía para mostrar sus calcomanías. ¿Cuántas más estrellas que puntos tiene Gavin?

Calcomanías

Luna	🌙
Corazón	💙 💙 💙 💙 💙
Estrella	⭐ ⭐ ⭐ ⭐ ⭐ ⭐ ⭐
Punto	🔴 🔴

Mira cómo puedes mostrar tu trabajo.

$8 - 2 = 6$

Solución ....

APLÍCALO

1 ¿Cuántas calcomanías de estrellas o de corazones tiene Gavin? Muestra tu trabajo.

> ¿Cuántas calcomanías de estrellas hay? ¿Cuántas calcomanías de corazones hay? Halla el total.

Solución ....

2 Ally hace esta gráfica el domingo por la mañana. Luego lee 2 libros más ese día. Completa la gráfica para mostrar que lee 2 libros más el domingo.

¿Cuál es el número total de libros para el domingo?

3 ¿Cuántos libros menos leyó Ally el viernes que el sábado?

¿Qué datos debes mirar?

Ⓐ 1

Ⓑ 2

Ⓒ 3

Ⓓ 4

John eligió Ⓐ como respuesta correcta. ¿Cómo obtuvo John su respuesta?

Practica dibujar y usar gráficas

1 Tia hace esta pictografía para mostrar la forma de las cuentas de su colección. Luego su mamá le da 3 cuentas más con forma de flor. Completa la gráfica para mostrar cuántas cuentas con forma de flor tiene Tia ahora.

¿Cuál es el número total de cuentas con forma de flor que tiene Tia ahora?

Forma de las cuentas

Corazones	♥ ♥ ♥ ♥ ♥ ♥ ♥
Flores	✿
Lunas	☾ ☾
Estrellas	★

2 Usa la pictografía del problema 1 para responder las siguientes preguntas.

¿Qué números usarás para hallar la solución?

¿Cuántos corazones más que lunas tiene Tia?

Ⓐ 7

Ⓑ 5

Ⓒ 3

Ⓓ 2

Fiona eligió Ⓐ. ¿Cómo obtuvo Fiona su respuesta?

3 Milo anota en la siguiente tabla de conteo el número de páginas que escribe cada día en su diario.

¿Qué puedes mirar en la gráfica de barras para ayudarte a dibujar cada barra con la altura correcta?

Domingo	Lunes	Martes
卌 l	lll	llll

Usa la tabla de conteo para completar la gráfica de barras.

- Dibuja las dos barras que faltan.
- Escribe el día que falta.
- Coloca un título a la gráfica.

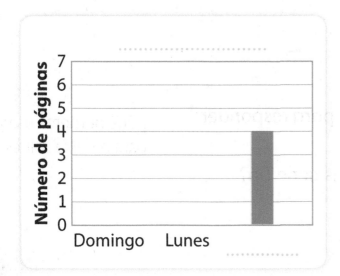

4 Mira los datos del problema 3.

¿Cuántas páginas menos escribió Milo el martes que el domingo?

¿Puedes usar una ecuación para hallar cuántas páginas menos escribió Milo?

.... páginas

Refina Dibujar y usar gráficas de barras y pictografías

APLÍCALO

Resuelve los problemas.

Maggie anota el color del cabello de las niñas de su equipo de softbol. Ella escribe sus datos en la gráfica de barras de la derecha.

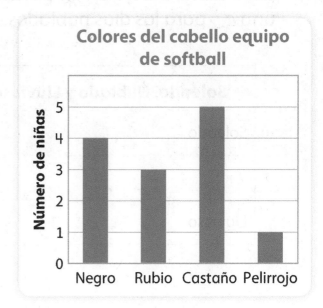

Colores del cabello equipo de softball

1 ¿Qué dos colores tienen el menor número de niñas con ese color de cabello?

Ⓐ negro y rubio

Ⓑ castaño y negro

Ⓒ negro y pelirrojo

Ⓓ pelirrojo y rubio

2 Elige *Verdadero* o *Falso* para cada oración.

	Verdadero	Falso
Hay más niñas con cabello negro que con cabello castaño.	Ⓐ	Ⓑ
Hay 15 niñas en el equipo de futbol de Maggie.	Ⓒ	Ⓓ
Hay 2 niñas pelirrojas menos que niñas con cabello rubio.	Ⓔ	Ⓕ
Hay 8 niñas con cabello castaño o rubio.	Ⓖ	Ⓗ

3 Wes registra el tiempo para una semana en la tabla de la derecha.

Completa la siguiente pictografía usando los datos de la tabla. Dibuja un ☼ para los días soleados y una ☁ para los días nublados.

Día	Tiempo
Dom.	nublado
Lun.	nublado
Mar.	soleado
Miér.	lluvioso
Jue.	lluvioso
Vier.	soleado
Sáb.	nublado

Soleado, Nublado y Lluvioso

Soleado	
Lluvioso	💧 💧

4 Si el sábado hubiera estado soleado, ¿en qué se diferenciaría la pictografía a la de ahora?

5 DIARIO DE MATEMÁTICAS

Escribe un problema de suma usando los datos del tiempo. Luego explica cómo resolver tu problema.

☑ COMPRUEBA TU PROGRESO Vuelve al comienzo de la Unidad 1 y mira qué destrezas puedes marcar.

Resuelve problemas verbales de dos pasos

Estimada familia:

Esta semana su niño está aprendiendo a resolver problemas verbales de dos pasos usando modelos y ecuaciones de suma y resta.

Considere este problema verbal: *Hay 17 flores en un florero. 8 de las flores son margaritas. 3 son rosas. El resto son crisantemos. ¿Cuántos crisantemos hay?*

Hay varias maneras de resolver este problema de dos pasos.

- Se puede resolver restando primero el número de margaritas del número total de flores.

    $17 - 8 = 9$

    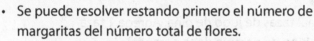

    Luego se resta el número de rosas.

    $9 - 3 = 6$

    Hay 6 crisantemos.

- También se puede resolver el problema sumando primero el número de margaritas y rosas, y luego restando ese número al número total de flores.

    $8 + 3 = 11$ $17 - 11 = 6$

    Hay 6 crisantemos.

Invite a su niño a compartir lo que sabe sobre resolver problemas verbales de dos pasos haciendo juntos la siguiente actividad.

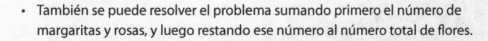

ACTIVIDAD : RESOLVER PROBLEMAS VERBALES DE DOS PASOS

Haga la siguiente actividad con su niño para resolver problemas verbales de dos pasos.

Materiales papel y lápiz, ingredientes para preparar un refresco o una mezcla de nueces y frutas secas (opcional)

Imagine que usted y su niño preparan una mezcla de nueces y frutas secas y un refresco de frutas para una fiesta usando estos ingredientes. Pida a su niño que lo ayude a resolver cada problema.

1. Usted quiere preparar 10 tazas de la mezcla. Tiene 4 tazas de nueces y 4 tazas de pasas de uva. ¿Cuántas tazas de pepitas de chocolate necesita?

2. Necesita 6 tazas de refresco de frutas. Usa 2 tazas de jugo de piña. Agrega 1 taza de jugo de arándanos. ¿Cuántas tazas de jugo de naranja debe agregar?

Respuestas: **1.** 2 tazas; **2.** 3 tazas

Explora Resolver problemas verbales de dos pasos

Ya has resuelto problemas verbales de un paso en ecuaciones. Usa lo que sabes para tratar de resolver el siguiente problema.

Objetivo de aprendizaje

- Usar la suma y la resta hasta 100 para resolver problemas verbales de uno y dos pasos con situaciones en las que hay que sumar, quitar, unir, separar y comparar, con valores desconocidos en todas las posiciones.

EPM 1, 2, 3, 4, 5, 6, 7, 8

Eve tiene ③ banderines a rayas y ③ banderines a lunares. Luego hace ⑦ banderines blancos. ¿Cuántos banderines tiene Eve ahora? \ 3

PRUÉBALO

3 + 3 + 7 = 13

Herramientas matemáticas

- cubos conectables
- fichas
- marcos de 10
- enlaces numéricos
- rectas numéricas abiertas

CONVERSA CON UN COMPAÑERO

Pregúntale: ¿Puedes explicarme eso otra vez?

Dile: No sé bien cómo hallar la respuesta porque…

CONÉCTALO

1 REPASA

¿Cuántos banderines tiene Eve ahora? ....

2 SIGUE ADELANTE

Para resolver algunos problemas se necesitan dos pasos. Este es otro ejemplo.

Juan tiene 3 marcadores rosados y 7 marcadores verdes. Pierde 2 marcadores. ¿Cuántos marcadores tiene ahora?

a. ¿Por qué comenzarías este problema con $3 + 7 = 10$?

b. ¿Cuál es el siguiente paso? Completa la ecuación de resta.

10 − .... = ...

c. ¿Cuántos marcadores tiene Juan ahora? ....

3 ¿Por qué es este un problema de dos pasos?

4 REFLEXIONA

Observa las dos ecuaciones en los problemas 2a y 2b. ¿Por qué está 10 en ambas ecuaciones?

....

....

Prepárate para resolver problemas verbales de dos pasos

1 Piensa en lo que sabes acerca de resolver problemas verbales. Llena cada recuadro. Usa palabras, números y dibujos. Muestra tantas ideas como puedas.

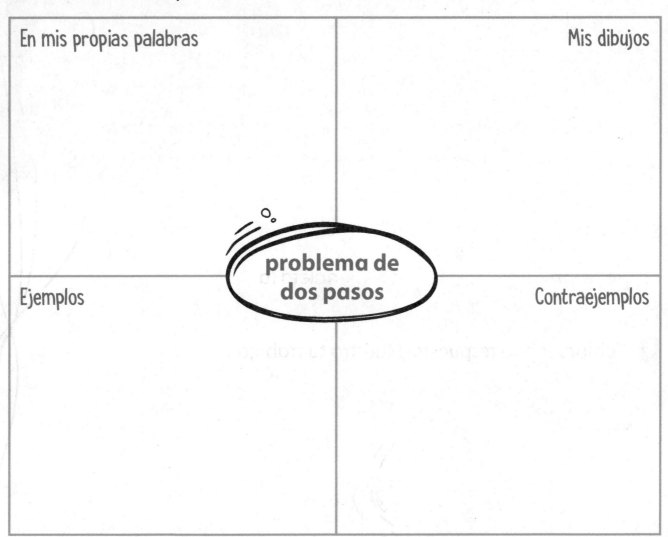

En mis propias palabras

Mis dibujos

problema de dos pasos

Ejemplos

Contraejemplos

2 Julia tiene 3 canicas rojas y 8 canicas azules. Luego pierde 2 canicas. ¿Cuántas canicas tiene ahora?

¿Cuáles son los dos pasos para resolver este problema? ⎢⎢

$3 + 8 - 2 = 9$

3 Resuelve el problema. Muestra tu trabajo.

Benny tiene 2 globos azules y 5 globos amarillos. Luego compra 8 globos verdes. ¿Cuántos globos tiene Benny ahora?

Solución ....

4 Comprueba tu respuesta. Muestra tu trabajo.

Desarrolla Maneras de resolver problemas de dos pasos

Lee el siguiente problema y trata de resolverlo.

> Meg tiene 8 peras en su canasta. Luego cosecha 6 peras más. Después de eso, regala 5 peras a sus amigas. ¿Cuántas peras hay en la canasta ahora?

PRUÉBALO

Herramientas matemáticas

- cubos conectables
- fichas
- marcos de 10
- enlaces numéricos
- rectas numéricas

$$|| + |||| = |||||||||||||$$

CONVERSA CON UN COMPAÑERO

Pregúntale: ¿Estás de acuerdo conmigo? ¿Por qué sí o por qué no?

Dile: No estoy de acuerdo con esta parte porque . . .

Explora diferentes maneras de entender cómo resolver problemas verbales de dos pasos.

> **Meg tiene 8 peras en su canasta. Luego cosecha 6 peras más. Después de eso, regala 5 peras a sus amigas. ¿Cuántas peras hay en la canasta ahora?**

HAZ UN DIBUJO

Puedes hacer un dibujo.

Paso 1:   8 peras + 6 peras más

Paso 2:   14 peras − 5 peras regaladas

HAZ UN MODELO

Puedes dibujar un diagrama de barras.

Paso 1:

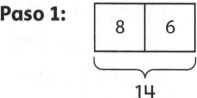

Paso 2:

14	
5	?

CONÉCTALO

Ahora vas a usar el problema de la página anterior para ayudarte a entender cómo resolver problemas de dos pasos usando ecuaciones.

1 Mira **Haz un dibujo**. Escribe una ecuación para el paso 1.

.... + ... = ...

2 Mira **Haz un modelo**. Escribe una ecuación para el paso 2.

.... − .... = ?

3 ¿Cuántas peras hay en la canasta ahora? ....

4 ¿En qué se diferencia un problema de dos pasos de un problema de un paso?

5 REFLEXIONA

Repasa **Pruébalo**, las estrategias de tus compañeros, **Haz un dibujo** y **Haz un modelo**. ¿Qué modelos o estrategias prefieres para resolver problemas de dos pasos? Explica.

....

....

....

....

Lección 5 Resuelve problemas verbales de dos pasos   **107**

APLÍCALO

Usa lo que acabas de aprender para resolver estos problemas.

6 Hay 12 niños en la piscina. Luego se van 3. Luego 6 niños más se meten en la piscina. ¿Cuántos niños hay en la piscina ahora? Muestra tu trabajo.

Solución ....

7 Completa los diagramas de barras para resolver cada paso de este problema.

Millie tiene $15. Gasta $6 en el almuerzo. Luego gasta $4 en un boleto de tren. ¿Cuánto dinero le queda a Millie? Muestra tu trabajo.

Paso 1: 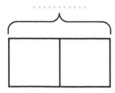   **Paso 2:**

A Millie le quedan $ ....

8 Andy lee 5 libros en junio y 7 libros en julio. Luego lee 4 libros más en agosto. ¿Cuántos libros lee Andy en esos tres meses?

Ⓐ 8   Ⓑ 11

Ⓒ 12   Ⓓ 16

Practica maneras de resolver problemas de dos pasos

Estudia el Ejemplo, que muestra una manera de resolver un problema de dos pasos. Luego resuelve los problemas 1 a 4.

EJEMPLO

Hay 7 pelotas en el armario del gimnasio. Luego se sacan 3 pelotas. Después de la clase se devuelven 9 pelotas. ¿Cuántas pelotas hay en el armario ahora?

Paso 1:

7 pelotas − 3 pelotas
= **4 pelotas**

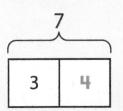

Paso 2:

4 pelotas + 9 pelotas
= 13 pelotas

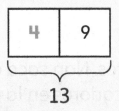

Por lo tanto, hay 13 pelotas en el armario ahora.

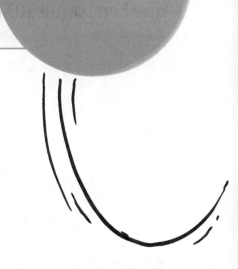

Jay tiene 13 carteles para colgar. Cuelga 5 en la mañana. Luego cuelga 4 más en la tarde. ¿Cuántos carteles le quedan a Jay por colgar?

1 Encierra en un círculo la ecuación para el paso 1.

Subraya una ecuación para el paso 2.

$5 - 4 = 1$ $13 + 5 = 18$

$8 - 4 = 4$ $13 - 5 = 8$

2 A Jay le quedan .... carteles.

3 Hay 15 personas en un tren. En la primera parada, 8 personas bajan del tren y 3 personas suben. ¿Cuántas personas hay en el tren ahora?

15

Paso 1:

Completa los diagramas de barras. Muestra tu trabajo.

Paso 2:

Solución ....

4 Una caja contiene 12 marcadores. Nan saca 6. Luego regresa 2. ¿Hay suficientes marcadores en la caja para que Fen saque 10? Muestra tu trabajo.

Solución ....

Desarrolla Más maneras de resolver problemas de dos pasos

Lee el siguiente problema y trata de resolverlo.

> Hay 16 monedas de 25¢ en un frasco. Russ saca 6 monedas de 25¢. Luego su papá coloca más monedas de 25¢ en el frasco. Ahora hay 18 monedas de 25¢ en el frasco. ¿Cuántas colocó su papá?

PRUÉBALO

Herramientas matemáticas

- cubos conectables
- fichas
- marcos de 10
- diagramas de barras
- rectas numéricas

CONVERSA CON UN COMPAÑERO

Pregúntale: ¿Cómo empezaste a resolver el problema?

Dile: Al principio, pensé que . . .

Explora diferentes maneras de entender cómo resolver problemas verbales de dos pasos.

> **Hay 16 monedas de 25¢ en un frasco. Russ saca 6 monedas de 25¢. Luego su papá coloca más monedas de 25¢ en el frasco. Ahora hay 18 monedas de 25¢ en el frasco. ¿Cuántas colocó su papá?**

HAZ UN DIBUJO

Puedes hacer un dibujo.

Paso 1:   Hay 16 monedas de 25¢ en un frasco. Russ saca 6 monedas de 25¢.

Paso 2:   Luego su papá coloca más monedas de 25¢ en el frasco. Ahora hay 18 monedas de 25¢ en el frasco.

HAZ UN MODELO

Puedes usar rectas numéricas abiertas.

Paso 1:   Hay 16 monedas de 25¢ en un frasco. Russ saca 6 monedas de 25¢.

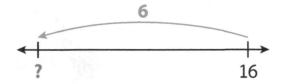

Paso 2:   Luego su papá coloca más monedas de 25¢ en el frasco. Ahora hay 18 monedas de 25¢ en el frasco.

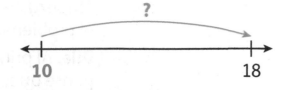

CONÉCTALO

Ahora vas a usar el problema de la página anterior para ayudarte a entender más maneras de resolver problemas verbales de dos pasos.

1 Mira la recta numérica en el paso 1 de **Haz un modelo**.

Completa la ecuación. $16 - 6 =$ ....

2 Escribe una ecuación para el paso 2.

.... $+ ? =$ ....

3 ¿Cuántas monedas de 25¢ colocó su papá

en el frasco? ....

4 Explica cómo resolver un problema de dos pasos.

5 REFLEXIONA

Repasa **Pruébalo**, las estrategias de tus compañeros, **Haz un dibujo** y **Haz un modelo**. ¿Qué modelos o estrategias prefieres para resolver problemas de dos pasos? Explica.

....

....

....

APLÍCALO

Usa lo que acabas de aprender para resolver estos problemas.

6 Javier tiene 7 conchas de mar. Luego encuentra 4 más. Luego algunas conchas de mar se rompen. Ahora Javier tiene 9 conchas de mar. ¿Cuántas conchas de mar se rompieron? Muestra tu trabajo.

Solución ....

7 Completa las rectas numéricas para resolver cada paso del problema.

Diane coloca 4 margaritas y 5 rosas en un florero. Luego coloca algunos claveles. Ahora hay 17 flores en el florero. ¿Cuántos claveles colocó Diane en el florero?

Paso 1:   **Paso 2:**

0	4	9	9		17

Diane colocó .... claveles en el florero.

8 ¿Qué ecuaciones podrías usar para resolver este problema?

Karl compra 5 boletos para un espectáculo. Luego compra 10 boletos más. Da algunos boletos a sus amigos. Ahora Karl tiene 9 boletos. ¿Cuántos boletos da Karl a sus amigos?

Ⓐ $10 + 5 = 15$

Ⓑ $10 - 5 = 5$

Ⓒ $15 - 9 = 6$

Ⓓ $6 + 10 = 16$

Ⓔ $10 - 9 = 1$

Practica más maneras de resolver problemas de dos pasos

Estudia el Ejemplo, que muestra una manera de resolver problemas de dos pasos. Luego resuelve los problemas 1 a 5.

EJEMPLO

Hay 8 bananas en el mostrador. Alguien toma 3 bananas. Otra persona coloca 4 bananas en el mostrador. ¿Cuántas bananas hay ahora?

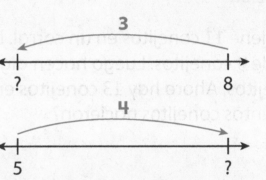

Paso 1: 8 bananas − 3 bananas

Paso 2: Hay 5 bananas.
Hay 4 bananas más.

Hay 9 bananas en el mostrador ahora.

---

1 Mira el Ejemplo. Luego completa las ecuaciones para mostrar el paso 1 y el paso 2.

Paso 1   8 − .... = ...

Paso 2   .... + 4 = ...

2 Piensa en el Ejemplo. ¿Podrías hacer primero el paso 2? Explica.

3 Hay 9 jugadores en el campo. Luego llegan 6 jugadores más al campo. Forman dos equipos. Hay 8 jugadores en un equipo. ¿Cuántos hay en el otro equipo? Muestra tu trabajo.

Solución

4 Val tiene 11 conejitos en un corral. Luego vende 4 conejitos. Luego nacen algunos conejitos. Ahora hay 13 conejitos en el corral. ¿Cuántos conejitos nacieron?

Ⓐ 6

Ⓑ 7

Ⓒ 8

Ⓓ 9

5 Mira el problema 4. Si Val tiene 14 conejitos al final en lugar de 13 conejitos, ¿cambiará el paso 1? ¿Cambiará el paso 2? Explica.

Refina Resolver problemas verbales de dos pasos

Completa el Ejemplo siguiente. Luego resuelve los problemas 1 a 3.

EJEMPLO

Emma tiene 12 tarjetas y Stan tiene 0. Emma da a Stan algunas de sus tarjetas. Ahora Emma tiene 9 tarjetas. ¿Cuántas tarjetas más que Stan tiene Emma?

Mira cómo puedes mostrar tu trabajo.

Emma comienza con 12 tarjetas y termina con 9.

$$12 - ? = 9$$
$$12 - 3 = 9$$

Por lo tanto, Stan tiene 3 tarjetas.

Emma tiene 9 tarjetas. Stan tiene 3 tarjetas.

$$9 - 3 = ?$$
$$9 - 3 = 6$$

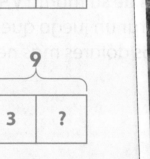

Solución ....

APLÍCALO

1 Hay 6 juguetes en una caja. Fritz saca 2 juguetes de la caja. Luego coloca 8 juguetes en la caja. ¿Cuántos juguetes hay en la caja ahora? Muestra tu trabajo.

Intenta representar el problema.

Solución ....

     Lección 5 Resuelve problemas verbales de dos pasos   **117**

2 Rob tiene 16 crayones. Da 8 crayones a Troy. Emma da a Rob algunos crayones. Ahora Rob tiene 17 crayones. ¿Cuántos crayones da Emma a Rob? Muestra tu trabajo.

¿Cuántos crayones tiene Rob después de regalar algunos? ¿Cuántos tiene ahora?

Solución ....

3 Bev recibe 6 dólares de su mamá y 4 dólares de su papá. Quiere comprar un juego que cuesta 18 dólares. ¿Cuántos dólares más necesita Bev?

¿Cómo puedes hallar cuánto dinero tiene Bev?

Ⓐ 2

Ⓑ 8

Ⓒ 10

Ⓓ 14

Allie eligió Ⓒ como respuesta correcta. ¿Cómo obtuvo Allie su respuesta?

Refina Resolver problemas verbales de dos pasos

APLÍCALO

Resuelve los problemas.

1 Cara cosecha 11 manzanas grandes y 7 manzanas pequeñas. Dan cosecha 5 manzanas menos que Cara. ¿Cuántas manzanas cosecha Dan?

Ⓐ 18   Ⓑ 6

Ⓒ 13   Ⓓ 2

2 Hay 15 pájaros en una rama. Luego 6 pájaros se van volando. Luego 3 pájaros se posan en la rama. ¿Cuántos pájaros hay en la rama ahora?

Completa los espacios en blanco. Luego encierra en un círculo las respuestas que muestran un paso para resolver el problema.

Ⓐ $15 + 6 =$ ....

Ⓑ $15 - 6 =$ ....

Ⓒ $9 - 3 =$ ....

Ⓓ $9 + 3 =$ ....

3 Ana tenía 10 cuentas. Compró 3 cuentas más. Luego Ana dio 7 cuentas a Beth. ¿Cuántas cuentas tiene Ana ahora?

Ⓐ 20   Ⓑ 13

Ⓒ 6   Ⓓ 0

4 Lee tiene 8 bloques cuadrados y 9 bloques triangulares. Jon toma algunos de los bloques de Lee. Luego a Lee le quedan 10 bloques. ¿Cuántos bloques toma Jon?

Ⓐ 2

Ⓑ 7

Ⓒ 17

Ⓓ 27

5 Una tarjeta con estrellas vale 10 puntos. Una tarjeta con lunas vale 4 puntos menos. ¿Cuántos puntos valen una tarjeta con estrellas y una tarjeta con lunas juntas? Muestra tu trabajo.

Solución ....

6 DIARIO DE MATEMÁTICAS

Escribe un problema de dos pasos en el que se use la suma y la resta. Luego explica cómo resolver tu problema.

☑ COMPRUEBA TU PROGRESO Vuelve al comienzo de la Unidad 1 y mira qué destrezas puedes marcar.

Reflexión

En esta unidad aprendiste a . . .

Destreza	Lección
Contar hacia delante para sumar y restar.	1, 2
Usar familias de datos para sumar y restar.	2, 3, 5, 6
Formar una decena para sumar y restar.	2, 5
Resolver un problema verbal de un paso.	3
Hacer un dibujo y hallar información en dibujos y gráficas de barras.	4
Usar la suma y la resta para resolver un problema con más de un paso.	5

Piensa en lo que has aprendido.

Usa palabras, números y dibujos.

1 Dos cosas importantes que aprendí son . . .

2 Algo que sé bien es . . .

3 Podría practicar más con . . .

Resuelve problemas de suma y resta

Estudia un problema y su solución

EPM 1 Entender problemas y perseverar en resolverlos.

Lee este problema acerca de sumar o restar para resolver problemas verbales de la vida real. Luego estudia cómo Plory resolvió el problema.

Motores de robot

Beau quiere construir estantes para colocar sus 16 motores de robot. Mira su plan.

Plan para los estantes

- Usar hasta 6 estantes.
- Colocar al menos 3 y no más de 6 motores de robot en cada estante.

¿Cuántos estantes debe construir Beau? ¿Cuántos motores debe colocar en cada estante?

Muestra cómo la solución de Plory concuerda con la lista de chequeo.

☑ LISTA DE CHEQUEO PARA LA SOLUCIÓN DE PROBLEMAS

- ☐ Di lo que se sabe.
- ☐ Di lo que pide el problema.
- ☐ Muestra todo tu trabajo.
- ☐ Muestra que la solución tiene sentido.

a. Haz un círculo alrededor de lo que se sabe.

b. Subraya las cosas que hace falta averiguar.

c. Encierra en un cuadro lo que se hace para resolver el problema.

d. Pon una marca ✓ junto a la parte que muestra que la solución tiene sentido.

LA SOLUCIÓN DE PLORY

- **Sé** que tengo que colocar 16 motores en hasta 6 estantes. En cada estante caben de 3 a 6 motores.

- **Tengo que hallar** cuántos estantes usar y cuántos motores colocar en cada estante.

- **Quiero usar** varios estantes para tener espacio para más motores de robot.

- **Puedo intentar** colocar el menor número de motores en un estante, que es 3. Comenzaré con 16 y seguiré restando 3 para hallar cuántos estantes necesito.

Hola, soy Plory. Así fue como resolví este problema.

$$\left.\begin{array}{l} 16 - 3 = 13 \\ 13 - 3 = 10 \\ 10 - 3 = 7 \\ 7 - 3 = 4 \end{array}\right\} \text{4 estantes}$$

Cada diferencia me dice cuántos motores quedan por colocar en los estantes.

Hay 4 estantes con 3 motores en cada estante. Quedan 4 motores más. Puedo agregar un estante más con 4 motores.

- **Sumo** los motores que hay en cada estante para comprobar.

$$3 + 3 + 3 = 9$$

$$9 + 3 + 4 = 16$$

Resté para resolver el problema. Así que sumaré para comprobar la respuesta.

- **Uso 4 estantes con 3 motores en cada uno y 1 estante con 4 motores.**

Prueba otro método

Hay muchas maneras de resolver problemas. Piensa en cómo podrías resolver el problema de "Motores de robot" de una manera distinta.

Motores de robot

Beau quiere construir estantes para colocar sus 16 motores de robot. Mira su plan.

Plan para los estantes

- Usar hasta 6 estantes.
- Colocar al menos 3 y no más de 6 motores de robot en cada estante.

¿Cuántos estantes debe construir Beau?
¿Cuántos motores debe colocar en cada estante?

PLANEA

Contesta esta pregunta para empezar a pensar en un plan.

¿Qué números puedes usar para el número de estantes? Explica cómo lo sabes.

RESUELVE

Halla una solución distinta al problema de los "Motores de robot". Muestra todo tu trabajo en una hoja de papel aparte.

Tal vez quieras usar las sugerencias de abajo para empezar.

SUGERENCIAS PARA RESOLVER PROBLEMAS

- **Preguntas**
  - ¿Sería mejor tener menos estantes o más estantes?
  - ¿Quiero poner un número distinto de motores en cada estante?

- **Banco de palabras**

menos	sumar	total
más	restar	diferencia

- **Oraciones modelo**
  - Puedo usar _____
  - Puedo colocar hasta _____

☑ **LISTA DE CHEQUEO PARA LA SOLUCIÓN DE PROBLEMAS**

Asegúrate de . . .
- ☐ decir lo que se sabe.
- ☐ decir lo que pide el problema.
- ☐ mostrar todo tu trabajo.
- ☐ mostrar que la solución tiene sentido.

REFLEXIONA

Usa las prácticas matemáticas Comenta la siguiente pregunta con un compañero.

- **Usa un modelo** ¿Qué ecuaciones de suma o resta puedes usar para comprobar tu respuesta? ¿Qué muestran esas ecuaciones?

Comenta modelos y estrategias

Resuelve el problema en una hoja de papel aparte.
Hay distintas maneras de resolverlo.

Colección de rocas

Beau hizo estas gráficas sobre su colección de rocas. Quiere comparar los distintos tipos de rocas de su colección.

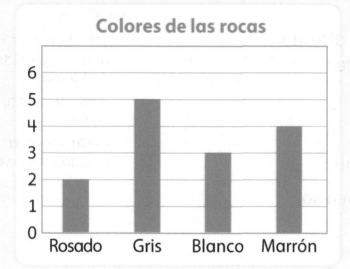

Colores de las rocas

Formas de las rocas

Ancha					
Estrecha				
Redondeada					

¿Cuáles son algunos enunciados que Beau podría escribir para describir las cantidades y tipos de rocas de su colección?

PLANEA Y RESUELVE

Halla una solución al problema de "Colección de rocas".

- Escribe dos o tres enunciados que describan los colores y las formas de las rocas.

- Muestra cómo usaste los números de las gráficas para escribir los enunciados.

Tal vez quieras usar las sugerencias de abajo para empezar.

SUGERENCIAS PARA RESOLVER PROBLEMAS

- **Preguntas**

  - ¿Qué indican los números de las gráficas acerca de las rocas?

  - ¿Cómo puedo sumar y restar los números de las gráficas para ayudarme a escribir enunciados?

- **Banco de palabras**

más	mayoría	total
menos	menor	diferencia

- **Oraciones modelo**

  - Hay _____ más _____

  - Hay menos _____

☑ **LISTA DE CHEQUEO PARA LA SOLUCIÓN DE PROBLEMAS**

Asegúrate de . . .
- ☐ decir lo que se sabe.
- ☐ decir lo que pide el problema.
- ☐ mostrar todo tu trabajo.
- ☐ mostrar que la solución tiene sentido.

REFLEXIONA

Usa las prácticas matemáticas Comenta la siguiente pregunta con un compañero.

- **Piensa y razona** ¿Cómo puedes escribir ecuaciones para mostrar que tus enunciados son verdaderos?

Persevera por tu cuenta

Resuelve cada problema en una hoja de papel aparte.

Tuercas y tornillos

Beau tiene 18 tornillos. Tiene 3 cajas para colocarlos. Quiere colocar al menos 3 tornillos en cada caja.

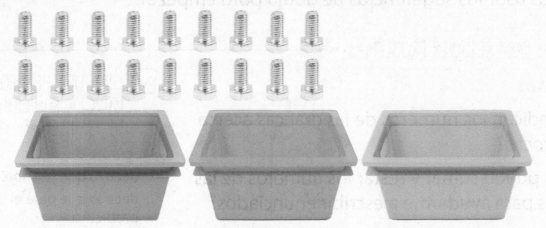

¿Cuántos tornillos puede colocar Beau en cada caja?

RESUELVE

Muestra una manera en la que Beau puede colocar los tornillos en las cajas.

• Haz un dibujo.

• Di cuántos tornillos hay que colocar en cada caja.

• Explica por qué tu respuesta tiene sentido.

REFLEXIONA

Usa las prácticas matemáticas Comenta la siguiente pregunta con un compañero.

• **Entiende los problemas** ¿Cómo decidiste cuántos tornillos colocar en cada caja?

Proyecto de ciencias

Beau tiene 17 frascos. Necesita al menos 8, pero no más de 12 frascos para un proyecto de ciencias. Colocará el resto de los frascos en un estante.

¿Cuántos frascos puede usar Beau para su proyecto de ciencias?

¿Cuántos quedarán para colocar en el estante?

RESUELVE

Di cuántos frascos podría usar Beau y cuántos quedarán para colocar en el estante.

• Haz un dibujo.

• Encierra en un círculo un número de frascos que puede usar Beau.

• Halla el número de frascos que Beau colocará en el estante.

• Muestra que el número total de frascos es 17.

REFLEXIONA

Usa las prácticas matemáticas Comenta la siguiente pregunta con un compañero.

• **Comprueba tu respuesta** ¿Qué hiciste para comprobar que tu respuesta tiene sentido?

1 Juan cuenta sus figuras de papel.

- Tiene 7 corazones.

- Tiene 3 estrellas menos que corazones.

- Tiene 16 figuras de papel en total.

Completa la pictografía para mostrar las figuras de papel de Juan.

Figuras de papel de Juan	
Corazones	♡ ♡ ♡ ♡ ♡ ♡ ♡
Estrellas	
círculos	

2 Rosa tiene 17 flores. Coloca algunas en un florero. Ahora a Rosa le quedan 9 flores. ¿Cuántas flores colocó Rosa en el florero?

Ⓐ 6

Ⓑ 8

Ⓒ 9

Ⓓ 26

3 ¿Qué expresiones pueden usarse para hallar $8 + 6$?
Elige todas las respuestas correctas.

Ⓐ $6 + 6 + 1$

Ⓑ $8 + 2 + 6$

Ⓒ $6 + 4 + 4$

Ⓓ $8 + 2 + 4$

Ⓔ $10 + 4$

4 Hay 17 personas en el autobús. En la primera parada se bajan 9 personas y se suben 4. ¿Cuántas personas hay en al autobús ahora? Muestra tu trabajo.

5 Hector tiene un pase de 15 visitas para un museo. Lo visita 11 veces. ¿Cuántas visitas le quedan?
Decide si cada ecuación podría usarse para resolver este problema.
Elige *Sí* o *No* para cada ecuación.

	Sí	No
$15 - ? = 11$	Ⓐ	Ⓑ
$? + 11 = 15$	Ⓒ	Ⓓ
$? = 15 + 11$	Ⓔ	Ⓕ
$11 + 15 = ?$	Ⓖ	Ⓗ

Prueba de rendimiento

Responde las preguntas. Muestra todo tu trabajo en una hoja de papel aparte.

Tu escuela te pidió que leyeras 20 libros durante el verano.

- Debes leer 6 libros sobre animales.

- Debes leer 3 libros sobre personas.

- Los otros libros deben ser sobre lugares o pasatiempos.

- Debes leer al menos 1 libro sobre lugares y al menos 1 libro sobre pasatiempos.

Haz un plan sobre los libros que vas a leer durante el verano.

- Di cuántos libros vas a leer sobre lugares.

- Di cuántos libros vas a leer sobre pasatiempos.

- Explica por qué tu plan de lectura para el verano tiene sentido.

REFLEXIONA

Construye un argumento ¿Cómo te aseguraste de que tu plan de lectura para el verano tiene sentido?

Lista de chequeo

- ☐ ¿Sumaste o restaste correctamente?
- ☐ ¿Comprobaste tus respuestas?
- ☐ ¿Explicaste tus respuestas?

Vocabulario

Dibuja o escribe para dar un ejemplo de cada término. Luego dibuja o escribe para mostrar otras palabras de matemáticas de la unidad.

diferencia el resultado de la resta.

Mi ejemplo

ecuación enunciado matemático en el que se usa un signo de igual (=) para mostrar que dos cosas tienen el mismo valor.

Mi ejemplo

familia de datos grupo de ecuaciones relacionadas que tienen los mismos números, ordenados de distinta manera, y dos símbolos de operaciones diferentes. Una familia de datos puede mostrar la relación que existe entre la suma y la resta.

Mi ejemplo

gráfica de barras representación de datos en la cual se usan barras para mostrar el número de cosas de cada categoría.

Mi ejemplo

número desconocido número que falta o que no se conoce en una ecuación, que a veces se representa con un cuadrado o un símbolo.

Mi ejemplo

pictografía representación de datos por medio de dibujos.

Mi ejemplo

recta numérica abierta recta numérica que solo muestra los números que son importantes para el problema.

Mi ejemplo

signo de igual símbolo que significa *tiene el mismo valor que.*

Mi ejemplo

_____

_____

suma el resultado de sumar dos o más números.

Mi ejemplo

sumar combinar dos o más cantidades, para hallar el total de dos o más números, o hallar cuánto hay en total.

Mi ejemplo

_____

Mi palabra: _____

_____

_____

Mi ejemplo

Mi palabra: _____

_____

_____

Mi ejemplo

Números hasta 100

Suma, resta, la hora y dinero

☑ COMPRUEBA TU PROGRESO

Antes de comenzar esta unidad, marca las destrezas que ya conoces. Al terminar cada lección, comprueba si puedes marcar otras.

Puedo . . .	Antes	Después
Sumar números de dos dígitos.	☐	☐
Sumar decenas y sumar unidades.	☐	☐
Reagrupar unidades como una decena y descomponer una decena.	☐	☐
Restar números de dos dígitos.	☐	☐
Resolver problemas verbales de un paso y de dos pasos al sumar o restar números de dos dígitos.	☐	☐
Resolver problemas verbales de dinero.	☐	☐
Decir y escribir la hora a los 5 minutos más cercanos.	☐	☐

Amplía tu vocabulario

REPASO

formar una decena   hora
marca de conteo   número del 11 al 19

Vocabulario matemático

Trabaja con un compañero para completar la tabla.

Palabras de repaso	¿Qué significa?	Tu ejemplo
hora		
formar una decena		
marca de conteo		
número del 11 al 19		

Vocabulario académico

Pon una marca junto a las palabras académicas que ya conoces.
Luego usa las palabras para completar las oraciones.

☐ comprobar   ☐ decidir   ☐ ordenar   ☐ solución

1. A menudo se usan las matemáticas para hallar una .... a un problema de la vida real.

2. Después de que resuelvo un problema, ... mi trabajo.

3. Antes de comenzar a resolver un problema, se debe .... qué estrategia usar.

4. Colocar los números de menor a mayor es una manera de .... la información.

Suma números de dos dígitos

Estimada familia:

Esta semana su niño está aprendiendo a usar diferentes estrategias para sumar números de dos dígitos.

Estas son algunas maneras de resolver la suma 28 + 47.

• Usar bloques de base diez

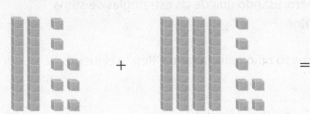 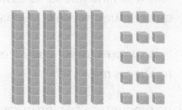

2 decenas + 8 unidades   4 decenas + 7 unidades   6 decenas + 15 unidades
7 decenas + 5 unidades, o 75

• Sumar las decenas y las unidades.

$$28 = 20 + 8$$
$$47 = \underline{40 + 7}$$
$$60 + 15 = 75$$

• Seguir hasta la próxima decena.
Es más fácil sumar cuando un número no tiene unidades.
Para simplificar la suma, siga hasta la próxima decena.

$28 + 2 = 30$
$30 + 40 = 70$
$70 + 5 = 75$

$28 + 47 = 75$

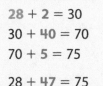 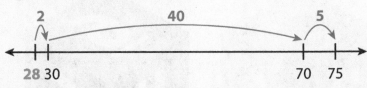

Invite a su niño a compartir lo que sabe sobre estrategias de suma haciendo juntos la siguiente actividad.

ACTIVIDAD ESTRATEGIAS DE SUMA

Haga la siguiente actividad con su niño para ayudarlo a sumar números de dos dígitos.

Materiales 2 cubos numéricos, lápiz y papel

Explique a su niño que el objetivo del juego es obtener una suma mayor que 75.

- Pida a su niño que lance dos cubos numéricos.

- Pídale que forme un número de dos dígitos a partir de los cubos numéricos (Por ejemplo, si obtuvo un 2 y un 6 puede formar 26 o 62.) Escriba el número.

- Pida a su niño que sume 25 al número, usando una de las estrategias de suma que se muestran en la página anterior.

- Si la suma es mayor que 75, entonces su niño gana la ronda. Repita el juego tres veces más.

Haga preguntas a su niño durante el juego. Por ejemplo:

- *¿Importa qué número formas con los dos cubos numéricos? ¿Obtendrás el mismo total de cualquier manera?*

- *¿Cómo puedes ordenar los números para asegurarte de que tu suma o total sea lo más grande posible?*

- *¿Qué ocurre con mi número de dos dígitos si uso el dígito mayor en el lugar de las decenas? ¿Y en el lugar de las unidades?*

Explora Sumar números de dos dígitos

Ya sabes cómo sumar números de un dígito.
Usa lo que sabes para tratar de resolver el
siguiente problema.

Objetivo de aprendizaje

• Sumar y restar hasta 100 con fluidez
usando estrategias basadas en el
valor posicional, las propiedades de
las operaciones y/o la relación entre
la suma y la resta.

EPM 1, 2, 3, 4, 5, 6, 7

> **Un día, Jack encontró 27 latas para reciclar. Al
> día siguiente, encontró 15 latas para reciclar.
> ¿Cuántas latas encontró Jack en total?**

PRUÉBALO

Herramientas matemáticas

• bloques de base diez
• rectas numéricas abiertas
• tableros de valor
  posicional de decenas

CONVERSA CON UN COMPAÑERO

Pregúntale: ¿Por
qué elegiste esa
estrategia?

Dile: Comencé
por . . .

CONÉCTALO

1 **REPASA**

¿Cuántas latas encontró Jack en total? ....

2 **SIGUE ADELANTE**

Estas son algunas maneras de hallar 27 + 15.

Usa bloques de base diez.

a.

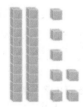   →

2 decenas y   1 decena y   .... decenas y
7 unidades   5 unidades

                                          .... unidades

Ve a la decena siguiente.   **Suma las decenas, luego**
                                     las unidades.

b. 27 + 3 = ...

                                     c.   20   7
    30 + 10 = ...   + 10   +   5
                                        _____

    40 + 2 = ... + ... = 42

3 **REFLEXIONA**

¿Por qué sumar 3, 10 y 2 es lo mismo que sumar 15?

....

....

Prepárate para sumar números de dos dígitos

1 Piensa en lo que sabes acerca de sumar números.
Llena cada recuadro. Usa palabras, números y dibujos.
Muestra tantas ideas como puedas.

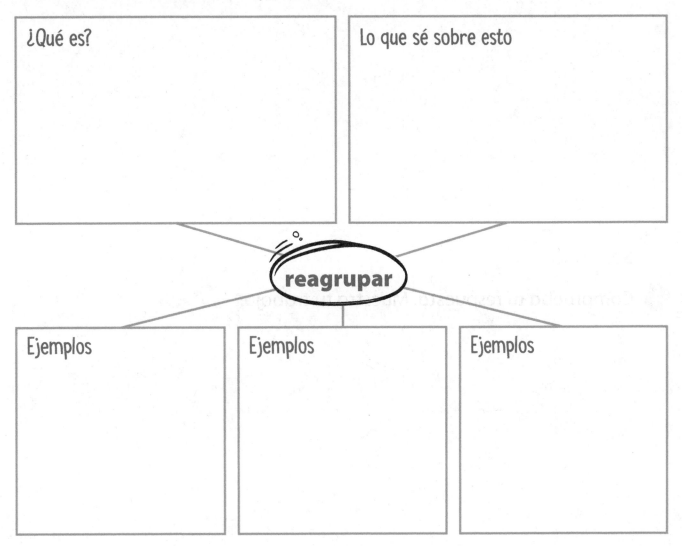

¿Qué es?

Lo que sé sobre esto

reagrupar

Ejemplos

Ejemplos

Ejemplos

2 ¿Por qué sumar 6, 10 y 5 a un número es lo mismo que sumar 21 a ese número?

3 Resuelve el problema. Muestra tu trabajo.

Nabila tiene 38 monedas de 1¢. Su amigo Manny le da 17 monedas de 1¢. ¿Cuántas monedas de 1¢ tiene Nabila ahora?

Solución ....

4 Comprueba tu respuesta. Muestra tu trabajo.

Desarrolla Diferentes maneras de mostrar la suma

Lee el siguiente problema y trata de resolverlo.

> **Antes del almuerzo, Maria lee durante 38 minutos. Después del almuerzo, lee durante 45 minutos. ¿Cuántos minutos lee María en total?**

PRUÉBALO

Herramientas matemáticas

- bloques de base diez
- rectas numéricas abiertas

CONVERSA CON UN COMPAÑERO

Pregúntale: ¿Cómo empezaste a resolver el problema?

Dile: La estrategia que usé para hallar la respuesta fue . . .

Explora diferentes maneras de entender y mostrar la suma de números de dos dígitos.

> **Antes del almuerzo, Maria lee durante 38 minutos. Después del almuerzo, lee durante 45 minutos. ¿Cuántos minutos lee María en total?**

HAZ UN DIBUJO

Puedes usar bloques de base diez.

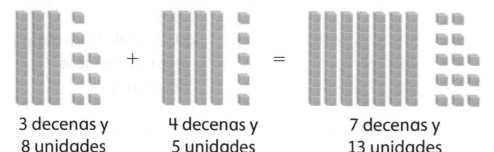

| 3 decenas y 8 unidades | 4 decenas y 5 unidades | 7 decenas y 13 unidades |

HAZ UN MODELO

Puedes sumar decenas y sumar unidades.

$$38 = 30 + 8$$
$$45 = \underline{40} + \underline{5}$$
$$70 + 13$$

HAZ UN MODELO

Puedes pasar a la decena siguiente.

$$38 + 2 = 40$$
$$40 + 40 = 80$$
$$80 + 3 = ?$$

CONÉCTALO

Ahora vas a usar el problema de la página anterior para ayudarte a entender cómo sumar decenas y unidades.

1 Mira **Haz un dibujo** de la página anterior. ¿Cuál es el número total de decenas y unidades?

.... decenas + ... unidades

2 ¿Cuántas decenas y unidades hay en 13?

$13 =$ .... decena y .... unidades, o .... $+ 3$.

3 Suma ambas decenas. Luego suma las unidades.

$70 + 10 + 3 =$ .... $+$ ....

$=$ ....

4 Explica cómo sumarías $38 + 45$.

5 REFLEXIONA

Repasa **Pruébalo**, las estrategias de tus compañeros, **Haz un dibujo** y los **Haz un modelo**. ¿Qué modelos o estrategias prefieres para mostrar la suma? Explica.

....

....

....

APLÍCALO

Usa lo que acabas de aprender para resolver estos problemas.

6 El Sr. Dane tiene 17 bolígrafos y 37 lápices. ¿Cuántos bolígrafos y lápices tiene en total? Muestra tu trabajo.

Solución

7 Explica cómo pasar a la decena siguiente para sumar 36 + 18. Muestra tu trabajo.

8 ¿Cuál es la suma de 67 y 19?

Ⓐ 76

Ⓑ 79

Ⓒ 86

Ⓓ 89

Practica diferentes maneras de mostrar la suma

Estudia el Ejemplo, que muestra cómo usar bloques de base diez para sumar números de dos dígitos. Luego resuelve los problemas 1 a 7.

EJEMPLO

Halla 18 + 24.

1 decena y   2 decenas y   3 decenas y
8 unidades   4 unidades   12 unidades

3 decenas 12 unidades

$= 30 + 10 + 2$

$= 40 + 2$

$= 42$

Max tiene 29 rocas. Luego encuentra 15 rocas más.

1. Escribe las decenas y las unidades. Luego suma las decenas y las unidades.

.... decenas .... unidades + ... decena .... unidades

= .... decenas .... unidades

2. ¿Cuántas decenas y unidades hay en 14?

14 = ... decena y .... unidades, o 10 + ...

3. Suma las decenas. Luego suma las unidades.

30 + 10 + 4 = ... + ..., o ....

Max tiene .... rocas.

La maestra Kottler tiene 27 bolígrafos negros y 14 azules.

4 Escribe las decenas y las unidades.

$27 = 20 +$ ....

$14 =$ .... $+$ ....

5 Suma las decenas, luego suma las unidades del problema 4.
¿Cuántos bolígrafos tiene la maestra Kottler en total?
Muestra tu trabajo.

.... bolígrafos

Hay 36 niñas con camisetas rojas. Hay 19 varones con camisetas rojas. Hay 16 niñas con camisetas azules.

6 ¿Cuántas niñas hay? Muestra tu trabajo.

.... niñas

7 ¿Cuántos niños tienen camisetas rojas? Muestra tu trabajo.

.... niños tienen camisetas rojas.

Desarrolla Más maneras de mostrar la suma

Lee el siguiente problema y trata de resolverlo.

> Hay 48 estudiantes en el autobús A y 43 estudiantes en el autobús B. ¿Cuántos estudiantes hay en ambos autobuses?

PRUÉBALO

Herramientas matemáticas
- bloques de base diez 🔊
- rectas numéricas abiertas 🔊
- tableros de valor posicional de decenas

Autobús A

Autobús B

CONVERSA CON UN COMPAÑERO

Pregúntale: ¿Estás de acuerdo conmigo? ¿Por qué sí o por qué no?

Dile: Un modelo que usé fue... Me ayudó porque...

Explora más maneras de entender y mostrar la suma.

> **Hay 48 estudiantes en el autobús A y 43 estudiantes en el autobús B. ¿Cuántos estudiantes hay en ambos autobuses?**

HAZ UN DIBUJO
Puedes usar un dibujo rápido.

Muestra cada número con un dibujo rápido.

Es más fácil sumar cuando un número no tiene unidades. Por lo tanto, **reagrupa** para formar una decena.

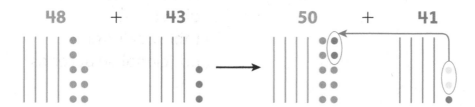

HAZ UN MODELO
Puedes usar una recta numérica abierta.

Comienza con **48**. Suma **2** para pasar a la decena siguiente. Para sumar **40**, cuenta hacia delante de decena en decena desde 50: 60, 70, 80, 90.
Luego suma **1** más.

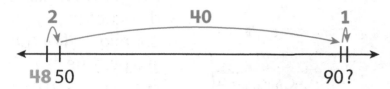

CONÉCTALO

Ahora vas a usar el problema de la página anterior para ayudarte a entender cómo formar una decena para sumar.

Mira **Haz un dibujo** de la página anterior.

1 ¿Por qué sumas 2 a 48?

2 ¿Qué muestra el dibujo? Completa los espacios en blanco.

$$
\begin{array}{ccc}
48 & + & 43 \\
+ \underline{\ \square\ } & & - \underline{\ \square\ } \\
50 & + & 41 = \ \square
\end{array}
$$

Mira **Haz un modelo** de la página anterior.

3 ¿Qué número deberías obtener si sumas todos los saltos? ¿Por qué?

4 ¿Dónde está la respuesta en esta recta numérica abierta?

5 REFLEXIONA

Repasa **Pruébalo**, las estrategias de tus compañeros, **Haz un dibujo** y **Haz un modelo**. ¿Qué modelos o estrategias prefieres para mostrar la suma? Explica.

....

....

....

APLÍCALO

Usa lo que acabas de aprender para resolver estos problemas.

6 Sam conduce 39 millas hacia el norte. Luego conduce 28 millas hacia el este. ¿Qué distancia recorre en total?
Muestra tu trabajo.

Solución ....

7 Halla 23 + 37. Muestra tu trabajo.

23 + 37 = ...

8 Explica cómo el problema de suma 17 + 48 puede resolverse sumando 20 + 45.
Muestra tu trabajo.

Practica más maneras de mostrar la suma

Estudia el Ejemplo, que muestra cómo usar dibujos rápidos para sumar números de dos dígitos. Luego resuelve los problemas 1 a 6.

EJEMPLO

¿Cuánto es 37 + 24?

37 + 24 es lo mismo que 40 + 21.

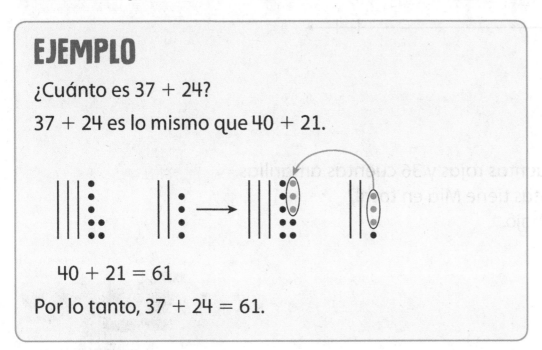

40 + 21 = 61

Por lo tanto, 37 + 24 = 61.

Kim cosecha 28 manzanas. Nate cosecha 17 manzanas.

1 Mira el dibujo rápido. Luego completa los espacios en blanco.

28   +   17   ⟶   ....   + ...

2 ¿Cuántas manzanas cosecharon Kim y Nate en total? ....

3 57 + 14 es lo mismo que .... + ...

4 Completa los números que faltan en la recta numérica abierta. Luego halla 57 + 14.

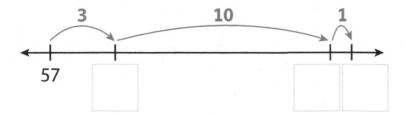

57 + 14 = ...

5 Mia tiene 49 cuentas rojas y 36 cuentas amarillas.
¿Cuántas cuentas tiene Mia en total?
Muestra tu trabajo.

Solución ....

6 La siguiente ecuación muestra un total de 51. Escribe tres ecuaciones diferentes con un total de 51.

22 + 29 = 51

Refina Sumar números de dos dígitos

Completa el Ejemplo siguiente. Luego resuelve los problemas 1 a 3.

EJEMPLO

Lucas tiene 47 rocas en su colección. Consigue 34 rocas más. ¿Cuántas rocas tiene Lucas ahora?

Puedes sumar las decenas y sumar las unidades.

$40 + 30 = 70$

$7 + 4 = 11$, y $11 = 10 + 1$

¿Cuántas rocas tiene Lucas ahora? ....

APLÍCALO

1. Blanca vende 59 banderas en un desfile. Le quedan 37 banderas. ¿Cuántas banderas tenía antes del desfile? Muestra tu trabajo.

¿Cuántas decenas y unidades hay en cada número?

2 ¿Cuál es la suma de 47 y 28? Muestra tu trabajo.

¿Cuánto puedes sumar a 47 para pasar a la decena siguiente?

Solución ....

3 Jenny obtiene 53 puntos en su primer juego de mesa. Obtiene 38 puntos en su segundo juego de mesa. ¿Cuál es el número total de puntos que obtuvo Jenny?

¿Es importante el número con el que empiezas?

Ⓐ 81

Ⓑ 93

Ⓒ 91

Ⓓ 83

Brady eligió Ⓐ como respuesta correcta. ¿Cómo obtuvo Brady su respuesta?

Practica sumar números de dos dígitos

1 Diego lee 48 páginas de un libro un día. Al día siguiente lee 23 páginas. ¿Cuántas páginas lee Diego en total?

Ⓐ 61

Ⓑ 62

Ⓒ 71

Ⓓ 75

> Puedes sumar las decenas y sumar las unidades.

2 ¿Qué problemas de sumas se podrían resolver sumando 40 + 15?

Ⓐ 39 + 16

Ⓑ 38 + 13

Ⓒ 37 + 18

Ⓓ 36 + 17

Ⓔ 35 + 19

> ¿Cuánto le sumas a uno de los sumandos para obtener 40?

3 Di si la ecuación puede usarse para resolver 27 + 56. Elige *Sí* o *No* para cada problema.

> Hay muchas maneras de sumar números de dos dígitos.

	Sí	No
20 + 50 + 10 + 6 = 86	Ⓐ	Ⓑ
20 + 7 + 50 + 6 = 83	Ⓒ	Ⓓ
30 + 56 = 86	Ⓔ	Ⓕ
20 + 50 + 13 = 83	Ⓖ	Ⓗ

4 Una ensalada de frutas tiene 37 uvas verdes y 45 uvas rojas. ¿Cuántas uvas hay en la ensalada de frutas?

Ⓐ 72

Ⓑ 81

Ⓒ 82

Ⓓ 712

Tim eligió Ⓐ como respuesta correcta. ¿Cómo obtuvo Tim su respuesta?

¿Cuántas decenas sumas?

5 Dan tiene 29 libros. Kayla tiene 3 libros más que Dan. ¿Cuántos libros tienen Dan y Kayla en total? Muestra tu trabajo.

¿Cuántos libros tiene Kayla?

Solución ....

Refina Sumar números de dos dígitos

APLÍCALO

Resuelve los problemas.

1 ¿Qué problemas de suma muestran una manera de sumar $78 + 16$?

Ⓐ $70 + 8 + 10 + 6$

Ⓑ $70 + 10 + 8 + 6$

Ⓒ $80 + 14$

Ⓓ $70 + 8 + 6$

Ⓔ $70 + 10 + 6$

2 Jo hace 36 abdominales. Luego hace 27 más. ¿Cuántos abdominales hizo Jo en total?

Ⓐ 67

Ⓑ 63

Ⓒ 53

Ⓓ 9

3 Di si la ecuación muestra cómo hallar $24 + 9$.

Elige *Sí* o *No* para cada problema.

	Sí	No
$20 + 4 + 9 = 33$	Ⓐ	Ⓑ
$2 + 4 + 9 = 15$	Ⓒ	Ⓓ
$20 + 40 + 9 = 69$	Ⓔ	Ⓕ
$20 + 10 + 3 = 33$	Ⓖ	Ⓗ

4 La maestra Ames muestra a sus estudiantes el problema de la derecha. ¿Que hizo? Explica. Luego muestra cómo resolver el problema de una manera diferente.

$$
\begin{array}{r}
25 \\
+\ 59 \\
\hline
14 \\
+\ 70 \\
\hline
84
\end{array}
$$

5 Halla $47 + 24$ de la manera que la maestra Ames lo halló en el problema 4. Luego muestra una manera diferente. ¿Cómo se comparan los totales?

6 DIARIO DE MATEMÁTICAS

¿Qué estrategia usarías para resolver $32 + 49$? Explica y luego resuélvelo.

☑ COMPRUEBA TU PROGRESO Vuelve al comienzo de la Unidad 2 y mira qué destrezas puedes marcar.

Resta números de dos dígitos

Estimada familia:

Esta semana su niño está aprendiendo estrategias para restar números de dos dígitos.

Su niño aplicará estrategias para resolver problemas como el siguiente.

Raúl tiene 65 dólares. Gasta 37 dólares. ¿Cuánto dinero le queda?

- Una estrategia que podría usar su niño es "sumar hacia delante".
  La ecuación de resta $65 - 37 = ?$ muestra la misma relación que la ecuación de suma $37 + ? = 65$. Una forma de pensar este problema es hacerse la siguiente pregunta: ¿Cuánto se le debe sumar a 37 para llegar a 65?
  Puede usar una recta numérica abierta para resolverlo.

$$37 + 20 = 57$$
$$57 + 3 = 60$$
$$60 + 5 = 65$$
$$20 + 3 + 5 = 28$$

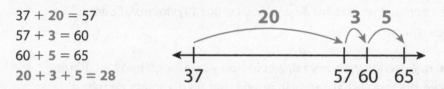

Por lo tanto, $37 + 28 = 65$, y $65 - 37 = 28$.

- Otra estrategia se llama "restar para formar una decena".
  37 tiene 7 unidades, pero 65 tiene 5, así que puede restar 5 primero. Luego reste las decenas. Luego reste el resto de las unidades (2).

$$65 - 5 = 60$$
$$60 - 30 = 30$$
$$30 - 2 = 28$$
$$65 - 37 = 28$$

Con cualquier estrategia que elija obtendrá la misma respuesta:
a Raúl le quedan 28 dólares.

Invite a su niño a compartir lo que sabe sobre restar haciendo juntos la siguiente actividad.

ACTIVIDAD ESTRATEGIAS PARA RESTAR

Haga la siguiente actividad con su niño para explorar la resta de números de dos dígitos.

Invente un problema verbal de resta usando números de dos dígitos que encuentre en su vida diaria. Use ideas como estas:

1. *Un perro pesa 27 libras. Un gato pesa 12 libras. ¿Cuánto más pesa el perro que el gato?*

2. *Tu amigo ahorró 21 dólares. ¿Cuánto más necesita ahorrar para poder comprar el videojuego de 49 dólares que tanto quiere?*

3. *Hay 65 millas desde casa hasta el parque acuático y 78 millas desde casa hasta el parque de diversiones. ¿Cuántas millas más hay hasta el parque de diversiones que hasta el parque acuático?*

4. *El libro que estamos leyendo tiene 84 páginas. Leímos 55 páginas. ¿Cuántas páginas más tenemos que leer?*

Pida a su niño que escriba y resuelva una ecuación y que luego haga un dibujo para ilustrar el problema verbal. También puede usar un diagrama de barras como ayuda para resolver problemas de resta.

Respuestas: **1.** 15 libras; **2.** 28 dólares; **3.** 13 millas; **4.** 29 páginas

Explora **Restar números de dos dígitos**

Ya sabes cómo restar números de un dígito. Usa lo que sabes para tratar de resolver el siguiente problema.

> Hay 34 proyectos de arte en un concurso, y 9 son pinturas. Los otros son dibujos. ¿Cuántos proyectos de arte son dibujos?

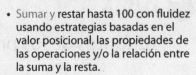
PRUÉBALO

Herramientas matemáticas

- cubos conectables
- bloques de base diez
- tablas de 100
- rectas numéricas abiertas
- diagramas de barra

CONVERSA CON UN COMPAÑERO

Pregúntale: ¿Cómo empezaste a resolver el problema?

Dile: Comencé por . . .

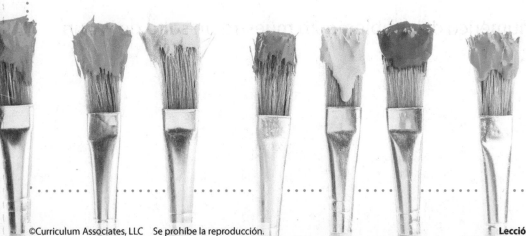

CONÉCTALO

1 REPASA

¿Cuántos de los proyectos de arte son dibujos? ....

2 SIGUE ADELANTE

Estas son algunas maneras de hallar $34 - 9$.

a. Comienza en 9 y suma hacia delante hasta 34.

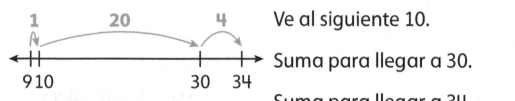

Ve al siguiente 10.

$9 + \underline{\quad} = 10$

Suma para llegar a 30.

$10 + \underline{\quad} = 30$

Suma para llegar a 34.

$30 + \underline{\quad} = 34$

Total de saltos. ⟶ ....

$9 + \underline{\quad} = 34$; por lo tanto, $34 - 9 = \underline{\quad}$.

b. Resta para formar una decena.

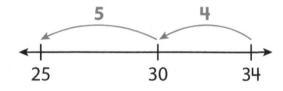

Resta 4 primero. Luego resta 5.

$34 - 4 = 30$

$30 - 5 = 25$

$34 - 9 = \underline{\quad}$

3 REFLEXIONA

¿Por qué la recta numérica del problema 2b muestra un salto de 4 y un salto de 5?

....

....

Prepárate para restar números de dos dígitos

1 Piensa en lo que sabes acerca de los números de dos dígitos. Llena cada recuadro. Usa palabras, números y dibujos. Muestra tantas ideas como puedas.

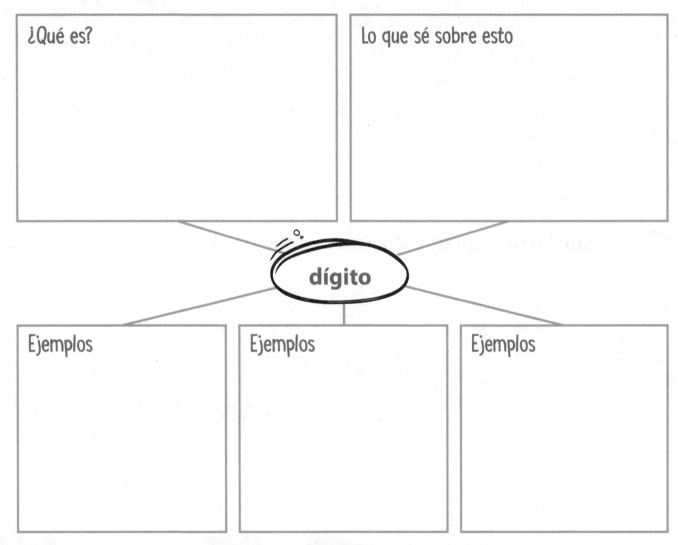

¿Qué es?

Lo que sé sobre esto

dígito

Ejemplos

Ejemplos

Ejemplos

2 ¿Qué dígito cambiará cuando restas 67 – 5? Explica.

3 Resuelve el problema. Muestra tu trabajo.

**Hay 22 sillas en un salón de clase.
7 son de madera. Las otras son de plástico.
¿Cuántas sillas son de plástico?**

Solución ....

4 Comprueba tu respuesta. Muestra tu trabajo.

Desarrolla **Restar con sumas**

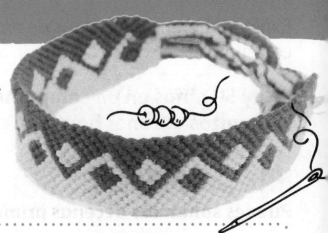

Lee el siguiente problema y trata de resolverlo.

> **Hay 54 niños en un campamento. 27 son niñas. ¿Cuántos varones hay en el campamento?**

Herramientas matemáticas

- cubos conectables
- bloques de base diez
- tablas de 100
- rectas numéricas abiertas
- diagramas de barra

CONVERSA CON UN COMPAÑERO

Pregúntale: ¿Por qué elegiste esa estrategia?

Dile: La estrategia que usé para hallar la respuesta fue . . .

Explora diferentes maneras de entender la resta con sumas.

> **Hay 54 niños en un campamento. 27 son niñas.**
> **¿Cuántos varones hay en el campamento?**

HAZ UN MODELO

Puedes sumar las decenas primero.

$54 - 27 = ?$ es lo mismo que $27 + ? = 54$.

$27 + 20 = 47$

$47 + 3 = 50$

$50 + 4 = 54$

$20 + 3 + 4 = ?$

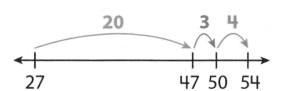

HAZ UN MODELO

Puedes sumar hasta la decena siguiente.

$54 - 27 = ?$ es lo mismo que $27 + ? = 54$.

Comienza con 27 y suma 3.
Luego suma 20 para llegar a 50.
Por último, suma 4 para llegar a 54.

$27 + 3 = 30$

$30 + 20 = 50$

$50 + 4 = 54$

$3 + 20 + 4 = ?$

> Puedes contar hacia delante de diez en diez para sumar 20. Piensa: 40, 50.

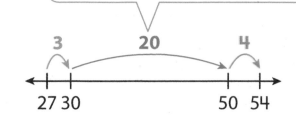

CONÉCTALO

Ahora vas a usar el problema de la página anterior para ayudarte a entender cómo restar con sumas.

1 Mira el primer **Haz un modelo**.
¿Con qué número comienzas? ....

¿En qué número te detienes? ....

2 Mira el segundo **Haz un modelo**.
¿Por qué sumas primero 3?

3 ¿Cuánto es 54 − 27? ¿Cómo obtuviste tu respuesta?

4 ¿En qué se parecen los dos modelos de la página anterior? ¿En qué son diferentes?

5 REFLEXIONA

Repasa **Pruébalo**, las estrategias de tus compañeros y los **Haz un modelo**. ¿Qué modelos o estrategias prefieres para mostrar la resta? Explica.

....
....
....

APLÍCALO

Usa lo que acabas de aprender para resolver estos problemas.

6 Resta 71 − 36 con la suma. Muestra tu trabajo.

Solución

7 Explica cómo el problema de resta 82 − 25 puede resolverse sumando primero las decenas.

8 Teddy y Laura coleccionan estampillas. Teddy tiene 93 estampillas y Laura 76 estampillas. ¿Cuántas más estampillas que Laura tiene Teddy?

Ⓐ 13 estampillas más

Ⓑ 17 estampillas más

Ⓒ 23 estampillas más

Ⓓ 27 estampillas más

Practica restar sumando

Estudia el Ejemplo, que muestra cómo restar números de dos dígitos con sumas. Luego resuelve los problemas 1 a 6.

EJEMPLO

Una tienda tiene 82 gorras. Hay 45 gorras azules. Las otras son rojas. ¿Cuántas gorras son rojas?

$82 - 45 = ?$ es lo mismo que $45 + ? = 82$.

Puedes sumar las decenas primero. Luego suma las unidades.

$45 + 30 = 75$
$75 + 5 = 80$
$80 + 2 = 82$

$30 + 5 + 2 = 37$. Hay 37 gorras rojas en la tienda.

El Sr. Kent necesita 74 platos para un picnic. Tiene 28 platos. Comprará el resto de los platos que necesita.

1. Muestra cómo puedes hallar cuántos platos necesita comprar el Sr. Kent. Completa los espacios en blanco para hallar $74 - 28$. Suma primero las decenas.

$28 + \text{\_\_\_\_\_} = 68$

$68 + \text{\_\_\_\_\_} = 70$

$70 + \text{\_\_\_\_\_} = 74$

$40 + \text{\_\_\_\_\_} + \text{\_\_\_\_\_} = \text{\_\_\_\_\_}$

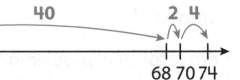

2. ¿Cuántos platos debería comprar el Sr. Kent?

_____ platos

La maestra Jones tiene 54 lápices. Da 17 lápices a sus estudiantes. ¿Cuántos lápices le quedan a la maestra Jones?

3 Muestra cómo puedes sumar las unidades primero para hallar 54 − 17. Llena los recuadros en la recta numérica.

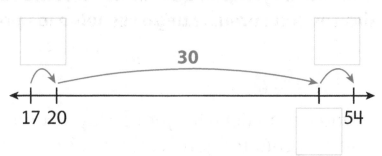

30

17 20   54

4 ¿Cuántos lápices le quedan a la maestra Jones? Muestra tu trabajo.

Solución ....

Hay 65 árboles en el parque de la ciudad. 38 árboles son manzanos. Los otros son robles.

5 ¿Cuántos robles hay? Suma para hallar 65 − 38. Muestra tu trabajo.

Solución ....

6 Para resolver el problema 5, ¿qué sumaste primero, las decenas o las unidades ? Explica por qué.

Desarrolla Restar reagrupando

Lee el siguiente problema y trata de resolverlo.

> **Ming tiene 42 animales de peluche. Da 15 a sus amigas. ¿Cuántos animales de peluche le quedan a Ming?**

PRUÉBALO

Herramientas matemáticas
- cubos conectables
- bloques de base diez
- tablas de 100
- rectas numéricas abiertas
- diagramas de barra

CONVERSA CON UN COMPAÑERO

Pregúntale: ¿Puedes explicarme eso otra vez?

Dile: Un modelo que usé fue . . . Me ayudó a . . .

Explora diferentes maneras de entender la resta reagrupando.

> **Ming tiene 42 animales de peluche. Da 15 a sus amigas. ¿Cuántos animales de peluche le quedan a Ming?**

HAZ UN MODELO

Puedes reagrupar una decena primero y luego restar.

Halla 42 − 15.

Primero reagrupa.
Forma 10 unidades con
1 decena en 42.

42 = 3 decenas y 12 unidades

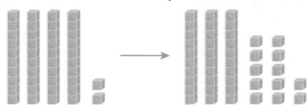

Luego resta.

　3 decenas y 12 unidades
− 1 decena y 5 unidades

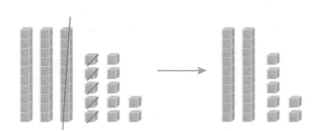

HAZ UN MODELO

Puedes restar las decenas primero.

Halla 42 − 15.

Resta una decena.
15 = 1 decena y 5 unidades.

Quita 1 decena.

　42 − 10 = 32

Luego reagrupa.
Forma 10 unidades con 1 decena.
Luego quita 5 unidades.

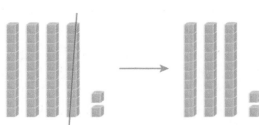

CONÉCTALO

Ahora vas a usar el problema de la página anterior para ayudarte a entender cómo restar reagrupando.

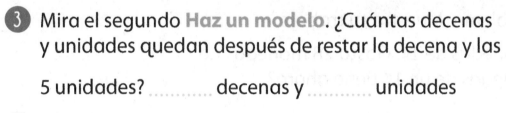

1 Mira el primer Haz un modelo. ¿Por qué formas 10 unidades con 1 decena en 42?

2 ¿Cuántas decenas y unidades quedan después

de restar? .... decenas y .... unidades

3 Mira el segundo Haz un modelo. ¿Cuántas decenas y unidades quedan después de restar la decena y las

5 unidades? .... decenas y .... unidades

4 ¿Por qué ambos Haz un modelo dan la misma respuesta?

5 REFLEXIONA

Repasa Pruébalo, las estrategias de tus compañeros y los Haz un modelo. ¿Qué modelos o estrategias prefieres para mostrar la resta? Explica.

....

....

....

....

APLÍCALO

Usa lo que has aprendido sobre la resta por reagrupación para resolver los siguientes problemas.

6 Resta 82 − 63 quitando las decenas y las unidades. Muestra tu trabajo.

Solución ....

7 Resuelve este problema. Muestra tu trabajo.

Anna tiene 63 monedas de 1¢. Gasta 28 monedas de 1¢. ¿Cuántas monedas de un 1¢ tiene ahora?

Solución ....

8 Halla 52 − 19.

Ⓐ 61

Ⓑ 47

Ⓒ 43

Ⓓ 33

Practica restar reagrupando

Estudia el Ejemplo, que muestra cómo restar números de dos dígitos reagrupando una decena. Luego resuelve los problemas 1 a 6.

EJEMPLO

¿Cuánto es 33 − 18?
Puedes reagrupar una decena primero.   **33 = 2 decenas y 13 unidades**
Luego resta.

$$
\begin{array}{r}
2 \text{ decenas y } 13 \text{ unidades} \\
-\ 1 \text{ decena y }\ \ 8 \text{ unidades} \\
\hline
1 \text{ decena y }\ \ 5 \text{ unidades} = 15
\end{array}
$$

33 − 18 = 15

Kate pinta 44 estrellas. Ella pinta 27 de las estrellas de plateado. Kate pinta las otras de dorado.

1 Reagrupa una decena en 44. Completa el espacio en blanco.

44 = 3 decenas y .... unidades

2 ¿Cuántas estrellas doradas hay? Halla 44 − 27. Muestra tu trabajo.

Solución Hay .... estrellas doradas.

3 Resta primero las decenas para resolver 51 − 22. Completa los espacios en blanco.

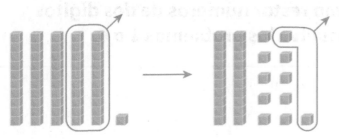

51 − .... = 31   31 − .... = ...

4 Wyatt resuelve 57 − 38. Él resta las decenas primero. Completa los espacios en blanco para mostrar el siguiente paso y la respuesta.

57 − 30 = 27   27 − .... = ...

5 Hay 32 varones y niñas en el área de juego. Hay 19 niñas. ¿Cuántos varones hay en el área de juego? Muestra tu trabajo.

Solución ....

6 Dora quiere hallar 73 − 26. Completa los espacios en blanco para terminar su resta.

73 − 3 = ...

70 − .... = 50

.... − .... = ...

Refina Restar números de dos dígitos

Completa el Ejemplo siguiente. Luego resuelve los problemas 1 a 3.

EJEMPLO

Joe tiene 52 tarjetas. Él coloca 28 tarjetas en una pila y las otras en una segunda pila. ¿Cuántas tarjetas hay en la segunda pila? Halla 52 − 28.

Puedes mostrar tu trabajo en una recta numérica abierta.

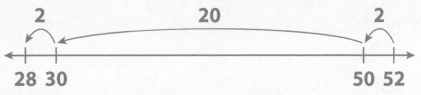

Salta hacia atrás 2 + 20 + 2, o 24, para llegar a 28.
Por lo tanto, 52 − 28 = 24.

Solución ....

APLÍCALO

1 En la granja hay 92 árboles frutales. De ellos, 69 son manzanos. Los otros son perales. ¿Cuántos perales hay? Halla 92 − 69. Muestra tu trabajo.

Si sumas, ¿con qué número comienzas?

Solución ....

2 Corey dice que la diferencia de 54 y 38 es 22. Él muestra su trabajo en la siguiente recta numérica abierta.

¿Qué muestra cada salto?

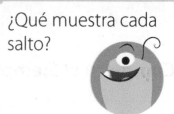

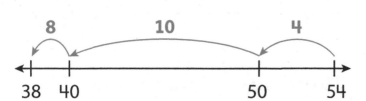

Su amigo dice que su respuesta no es correcta.
¿Qué debería hacer Corey para corregir su trabajo?

3 Pedro hace 57 saltos de tijera. Ray hace 18 saltos de tijera menos que Pedro. ¿Cuántos saltos de tijera hace Ray?

¿Cuánto quitas a 57 para formar una decena?

Ⓐ 29

Ⓑ 39

Ⓒ 40

Ⓓ 41

Mia eligió Ⓒ como respuesta correcta. ¿Cómo obtuvo Mia su respuesta?

Practica restar números de dos dígitos

1 Hay 54 niños en un desfile. Hay 15 niños con banderas. Los otros tocan instrumentos. ¿Cuántos niños tocan instrumentos? Halla 54 − 15. Muestra tu trabajo.

Puedo sumar para restar. ¿Con qué número comienzo?

Solución ....

2 Muestra otra manera de hallar 54 − 15. Asegúrate de que sea diferente de lo que hiciste en el problema 1.

Puedes reagrupar una decena primero. También puedes restar las decenas primero.

3 Elige *Sí* o *No* para decir si puedes usar las ecuaciones para hallar 43 − 26.

¿Cuántas decenas y unidades hay en 26?

	Sí	No
26 + 4 = 30 y 30 + 13 = 43	Ⓐ	Ⓑ
26 + 10 = 36 y 36 + 3 = 39	Ⓒ	Ⓓ
43 − 10 = 33 y 33 − 6 = 27	Ⓔ	Ⓕ
43 − 20 = 23 y 23 − 6 = 17	Ⓖ	Ⓗ

4 Hay 86 carros en el estacionamiento. Luego 37 carros se van. ¿Cuántos carros hay en el estacionamiento ahora? Halla 86 − 37.

Ⓐ 59

Ⓑ 56

Ⓒ 49

Ⓓ 43

¿Cómo puedes escribir 86 para tener 16 unidades?

5 ¿Cuál de las siguientes estrategias podría ayudarte a hallar 72 − 25? Selecciona todas las respuestas correctas.

Ⓐ 72 − 30 = 42 y
42 − 5 = 37

Ⓑ 25 + 5 = 30 y
30 + 40 = 70 y
70 + 2 = 72

¿Qué métodos conoces para restar números de dos dígitos?

Ⓒ

Ⓓ   6 decenas   12 unidades
  − 2 decenas   5 unidades

Ⓔ 72 − 50 = 22 y
22 − 5 = 17

Refina **Restar números de dos dígitos**

APLÍCALO

Resuelve los problemas.

1 ¿Cuánto es 35 − 17? Muestra tu trabajo.

Solución ....

2 Jamie hace el siguiente modelo para resolver un problema. ¿Qué problema resuelve?

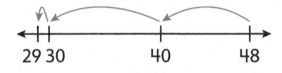

29 30   40   48

Ⓐ 40 − 11 = 29

Ⓑ 48 − 18 = 29

Ⓒ 48 − 18 = 30

Ⓓ 48 − 19 = 29

3 Don tiene 32 caracoles. Da 15 a su hermano. ¿Cuántos caracoles tiene Don ahora?
Muestra dos maneras de hallar 32 − 15.

4 Elige *Sí* o *No* para decir si puedes usar la estrategia para hallar $56 - 17$.

	Sí	No
$56 - 6 = 50$ y $50 - 1 = 49$	Ⓐ	Ⓑ
$56 - 10 = 46$ y $46 - 7 = 39$	Ⓒ	Ⓓ
$17 + 3 = 20$ y $20 + 36 = 56$	Ⓔ	Ⓕ
4 decenas y 16 unidades $-$ 1 decena y 7 unidades 3 decenas y 9 unidades	Ⓖ	Ⓗ

5 Greg resta $73 - 44$. Completa los espacios en blanco para terminar su resta.

$73 - 40 = \underline{\hspace{2cm}}$

$33 - \underline{\hspace{2cm}} = 30$

$\underline{\hspace{2cm}} - \underline{\hspace{2cm}} = \underline{\hspace{2cm}}$

6 DIARIO DE MATEMÁTICAS

¿Qué estrategia usarías para resolver $82 - 58$? Explica y luego resuélvelo.

☑ COMPRUEBA TU PROGRESO Vuelve al comienzo de la Unidad 2 y mira qué destrezas puedes marcar.

Usa estrategias de suma y resta con números de dos dígitos

Estimada familia:

Esta semana su niño está aprendiendo más estrategias para sumar y restar números de dos dígitos.

Considere el siguiente problema: *Sandy tiene 65 botones. 27 son rojos y el resto son azules. ¿Cuántos botones azules tiene Sandy?*

- Una estrategia es dibujar las decenas y las unidades. Se usan líneas para representar las decenas y puntos para representar las unidades.

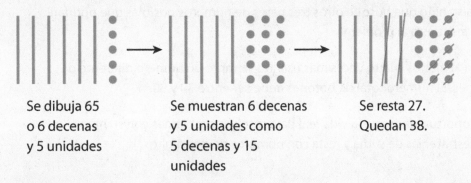

Se dibuja 65
o 6 decenas
y 5 unidades

Se muestran 6 decenas
y 5 unidades como
5 decenas y 15
unidades

Se resta 27.
Quedan 38.

- Otra estrategia es "sumar hacia delante". La ecuación de resta $65 - 27 = ?$ puede resolverse pensando en ella como $27 + ? = 65$.

$27 + 3 = 30$
$30 + 30 = 60$
$60 + 5 = 65$
$3 + 30 + 5 = 38$

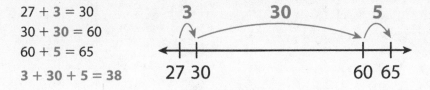

Con cualquiera de las dos estrategias se obtendrá la misma respuesta: Sandy tiene 38 botones azules.

Se puede verificar la respuesta al problema de resta usando la suma.

Invite a su niño a compartir lo que sabe sobre usar estrategias de suma y resta con números de dos dígitos haciendo juntos la siguiente actividad.

ACTIVIDAD USAR ESTRATEGIAS DE SUMA Y RESTA CON NÚMEROS DE DOS DÍGITOS

Haga la siguiente actividad con su niño para ayudarlo a practicar estrategias de suma y resta con números de dos dígitos.

- Considere el siguiente problema: *Juan tiene una colección de 45 botones. Algunos son amarillos y otros son verdes. ¿Cuántos botones de cada color podría tener Juan?*

- Explique a su niño que hay muchas respuestas posibles para este problema. Una es que Juan podría tener 25 botones amarillos y 20 botones verdes.

- Pida a su niño que busque otros tres pares de números posibles que podrían ser la respuesta al problema.

- Repita al menos cuatro veces más usando siempre un número diferente de botones. El número total de botones debe ser entre 30 y 80.

Busque oportunidades de la vida real para resolver problemas con su niño usando estrategias de suma y resta con números de dos dígitos.

Explora Usar estrategias de suma y resta con números de dos dígitos

Ya sabes cómo sumar y restar números de dos dígitos. Usa lo que sabes para tratar de resolver el siguiente problema.

> **Elizabeth tiene 35 carros de juguete. ¿Cómo puede colocar sus carros de juguete en los estantes de arriba y de abajo en su librero? Muestra tres maneras.**

Objetivo de aprendizaje

- Usar el valor posicional y las propiedades de las operaciones para explicar por qué las estrategias de suma y resta funcionan.

EPM 1, 2, 3, 4, 5, 6, 7

PRUÉBALO

Herramientas matemáticas

- cubos conectables
- bloques de base diez
- tablas de 100
- diagramas de barras
- rectas numéricas abiertas

CONVERSA CON UN COMPAÑERO

Pregúntale: ¿Cómo empezaste a resolver el problema?

Dile: Comencé por . . .

CONÉCTALO

1 REPASA

¿Cuáles son tres maneras en que Elizabeth puede colocar sus carros de juguete en el estante de arriba y en el estante de abajo en el librero?

2 SIGUE ADELANTE

Puedes usar diferentes estrategias para resolver problemas de suma y resta. Piensa en este problema.

Gary tiene 50 canicas. ¿Cuáles son diferentes maneras en las que podría colocar todas en dos bolsas?

Completa las ecuaciones para mostrar tres maneras diferentes.

$$\rule{2cm}{0.4pt} + \rule{2cm}{0.4pt} = 50$$

$$50 - \rule{2cm}{0.4pt} = \rule{2cm}{0.4pt}$$

$$50 = \rule{2cm}{0.4pt} + \rule{2cm}{0.4pt}$$

3 REFLEXIONA

¿Hay otras maneras en que Gary podría colocar las canicas en las dos bolsas? Explica.

Prepárate para usar estrategias de suma y resta

1️⃣ Piensa en lo que sabes acerca de las diferentes maneras de sumar y restar. Llena cada recuadro. Usa palabras, números y dibujos. Muestra tantas ideas como puedas.

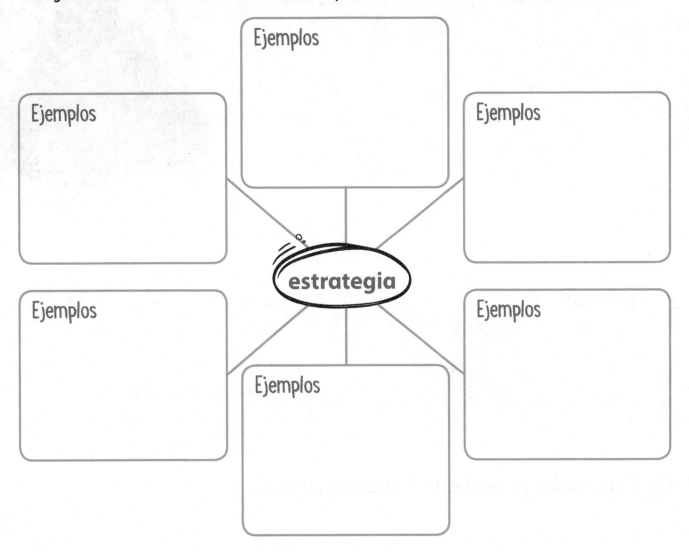

Ejemplos

Ejemplos

Ejemplos

estrategia

Ejemplos

Ejemplos

Ejemplos

2️⃣ Clark resuelve ? − 23 = 19 contando hacia delante en una recta numérica. ¿Usó su estrategia de manera correcta? Explica.

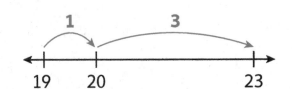

3 Resuelve el problema. Muestra tu trabajo.

Diana tiene 42 muñecas. ¿Cómo puede colocar sus muñecas en los estantes de arriba y de abajo de su librero? Muestra tres maneras.

Solución

....

....

....

....

4 Comprueba tu respuesta. Muestra tu trabajo.

Desarrolla Estrategias para hallar un sumando que falta

Usa lo que sabes para tratar de resolver el siguiente problema.

> **En la feria, 39 estudiantes esperan en fila para subir a una atracción. Luego más estudiantes llegan a la fila. Ahora hay 93 estudiantes en la fila. ¿Cuántos estudiantes más llegaron a la fila?**

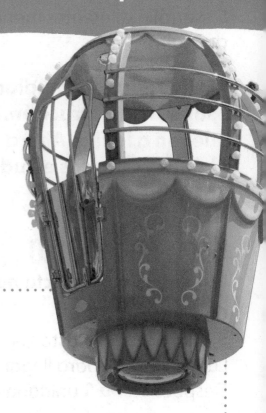

PRUÉBALO

Herramientas matemáticas

- cubos conectables
- bloques de base diez ⬗
- tablas de 100
- diagramas de barras
- rectas numéricas abiertas ⬗

Desarrolla diferentes maneras de hallar un sumando que falta.

En la feria, **39 estudiantes esperan en fila para subir a una atracción. Luego más estudiantes llegan a la fila. Ahora hay 93 estudiantes en la fila. ¿Cuántos estudiantes más llegaron a la fila?**

HAZ UN MODELO
Puedes usar una recta numérica abierta.

Comienza en 39.
Suma decenas hasta llegar a 89.
Luego **suma 1** para llegar a 90.
Después **suma 3** unidades más para llegar a 93.

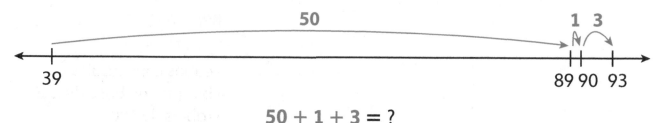

$$50 + 1 + 3 = ?$$

HAZ UN MODELO
Puedes sumar hacia delante hasta la decena siguiente.

$39 + 1 = 40$

$40 + 50 = 90$

$90 + 3 = 93$

$1 + 50 + 3 = ?$

CONÉCTALO

Ahora vas a resolver el problema de la página anterior para ayudarte a entender las estrategias para sumar números de dos dígitos.

1 Mira el primer **Haz un modelo** de la página anterior.

¿Cuánto es 50 + 1 + 3? ....

2 Mira el segundo **Haz un modelo** de la página anterior.

¿Cuánto es 1 + 50 + 3? ....

3 ¿Por qué son iguales tus respuestas a los problemas 1 y 2?

4 Explica cómo hallarías el sumando que falta en la siguiente ecuación.

$$? + 47 = 83$$

5 REFLEXIONA

Repasa **Pruébalo**, las estrategias de tus compañeros y los **Haz un modelo**. ¿Qué modelos o estrategias prefieres para hallar un sumando que falta? Explica.

....

APLÍCALO

Usa lo que acabas de aprender para resolver estos problemas.

6 Ricardo tiene 55 estampillas. Consigue más estampillas. Ahora Ricardo tiene 82 estampillas. ¿Cuántas estampillas más consiguió? Muestra tu trabajo.

Solución ....

7 Resuelve el problema llegando hasta la decena siguiente.

$$58 + ? = 95$$

Muestra tu trabajo.

Solución ....

8 Lee encuentra algunas conchas de mar el lunes. Encuentra 31 el martes. En los dos días, encontró 60 conchas de mar en total. ¿Cuántas conchas de mar encontró Lee el lunes?

Ⓐ 23

Ⓑ 29

Ⓒ 90

Ⓓ 91

Practica estrategias para hallar un sumando que falta

Estudia el Ejemplo, que muestra cómo usar bloques de base diez para hallar un sumando que falta. Luego resuelve los problemas 1 a 5.

EJEMPLO

La clase de la maestra Acosta lee 41 libros en febrero y marzo. Leen 17 de los libros en febrero. ¿Cuántos libros leyeron en marzo?

Halla $17 + ? = 41$.

$17 + 24 = 41$

17   ?   41

La clase de la maestra Acosta leyó 24 libros en marzo.

Danny tiene $26. Sus padres le dan más dinero para su cumpleaños. Ahora tiene $51. ¿Cuánto dinero le dieron sus padres?

1 Dibuja bloques de base diez para 26 con un color. Luego usa otro color para dibujar más bloques de base diez para que haya 51.

2 ¿Cuántos bloques más dibujaste? ....

¿Cuánto dinero le dieron a Danny sus padres? $ ....

3 Chen recorre algunas millas en sus caminatas durante la primera semana de sus vacaciones. Durante la segunda semana recorre 18 millas. Durante ambas semanas recorrió un total de 37 millas. ¿Cuántas millas recorrió Chen durante la primera semana? Muestra tu trabajo.

Solución ....

4 Una panadería vende 48 pastelitos en la mañana. Algunos pastelitos son de arándano azul y los otros son de cereza. ¿Qué ecuaciones muestran cuántos de cada tipo de pastelito podría vender la panadería?

Ⓐ $48 = 47 + 1$

Ⓑ $30 + 18 = 48$

Ⓒ $24 + 24 = 48$

Ⓓ $48 + 12 = 60$

Ⓔ $48 = 14 + 34$

5 Nirupa suma hacia delante hasta la decena siguiente para hallar $65 + 25$. Di cómo podría ella hallar el total. Muestra tu trabajo.

Desarrolla Usar estrategias de resta con números de dos dígitos

Usa lo que sabes para tratar de resolver el siguiente problema.

> **Después de la escuela, 85 estudiantes vuelven a casa. Algunos vuelven a casa en autobús, pero 26 estudiantes no vuelven en autobús. ¿Cuántos estudiantes vuelven a casa en autobús?**

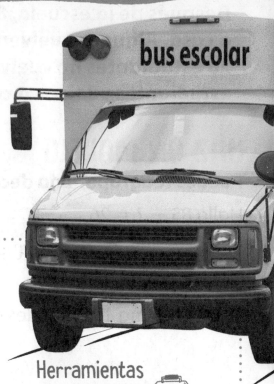

bus escolar

PRUÉBALO

Herramientas matemáticas
- cubos conectables
- bloques de base diez
- tablas de 100
- diagramas de barras
- rectas numéricas abiertas

CONVERSA CON UN COMPAÑERO

Pregúntale: ¿Por qué elegiste esa estrategia?

Dile: La estrategia que usé para hallar la respuesta fue . . .

Desarrolla diferentes maneras de entender estrategias de resta con número de dos dígitos.

> Después de la escuela, 85 estudiantes vuelven a casa. Algunos vuelven a casa en autobús, pero 26 estudiantes no vuelven en autobús. ¿Cuántos estudiantes vuelven a casa en autobús?

HAZ UN MODELO

Puedes reagrupar una decena primero y luego restar.

Halla $85 - ? = 26$.

$85 - ? = 26$ es lo mismo que $85 - 26 = ?$.

85 es 7 decenas y 15 unidades.

Primero forma 10 unidades con 1 decena en 85.

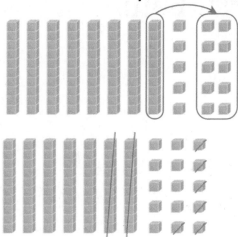

Luego resta.

    7 decenas y 15 unidades

   − **2 decenas** y **6 unidades**
   <u>   </u>

HAZ UN MODELO

Puedes usar una recta numérica abierta.

Resta 26 a 85 para hallar cuántos estudiantes vuelven a casa en autobús.

Comienza en 85. Resta **5** para llegar a la decena siguiente. Luego resta **1** más. Después resta **20**.

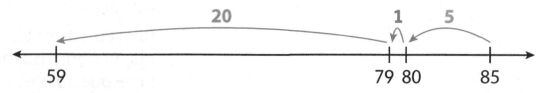

CONÉCTALO

Ahora vas a resolver el problema de la página anterior para ayudarte a entender las estrategias para restar números de dos dígitos.

1. Mira el primer **Haz un modelo**. ¿Cuánto es 7 decenas y 15 unidades menos 2 decenas y 6 unidades?

2. Mira el segundo **Haz un modelo**.

   ¿En qué número caíste? ....

3. ¿Por qué son iguales tus respuestas a los problemas 1 y 2?

4. Explica cómo puedes usar la suma para comprobar que tu solución para $85 - ? = 26$ es correcta.

5. REFLEXIONA

   Repasa **Pruébalo**, las estrategias de tus compañeros y los **Haz un modelo**. ¿Qué modelos o estrategias prefieres para restar números de dos dígitos? Explica.

   ....

   ....

   ....

APLÍCALO

Usa lo que acabas de aprender para resolver estos problemas.

6 Hay 65 cerezas en un tazón. Dan se come 12 cerezas en el almuerzo. ¿Cuántas quedan en el tazón ahora?

Usa dos estrategias diferentes para resolver este problema. Muestra tu trabajo.

Solución ....

7 Mira cómo Kate resuelve el problema de resta de la derecha. ¿Es correcta su respuesta? Explica cómo puedes usar la suma para comprobar su respuesta.

$$\begin{array}{r} 86 \\ -\ 58 \\ \hline 38 \end{array}$$

8 Sean tiene 14 crayones menos que Keisha. Keisha tiene 64 crayones. ¿Cuántos crayones tiene Sean?

Ⓐ 78   Ⓑ 60

Ⓒ 54   Ⓓ 50

Practica usar estrategias de resta con números de dos dígitos

Estudia el Ejemplo, que muestra una manera de restar números de dos dígitos. Luego resuelve los problemas 1 a 4.

EJEMPLO

Hay 75 personas en un juego de beisbol.
Hay 28 adultos. Las demás personas son niños.
¿Cuántos niños hay en el juego de beisbol?

$75 - 28 = ?$

Cuenta hacia atrás.

$75 - 5 = 70$
$70 - 20 = 50$
$50 - 3 = 47$

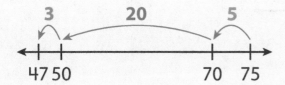

Por lo tanto, hay 47 niños en el juego de beisbol.

**Dave anotó 43 puntos en un juego y Lily anotó 28.
¿Cuántos puntos más anotó Dave que Lily?**

1 Usa una recta numérica abierta para resolver el
   problema. Muestra tu trabajo.

$\longleftrightarrow$

Solución ....

2 ¿Qué ecuaciones puedes usar para comprobar si esta ecuación de resta es correcta?

$72 - 24 = 48$

Ⓐ $72 + 24 = 96$

Ⓑ $48 + 48 = 96$

Ⓒ $48 + 24 = 72$

Ⓓ $72 - 48 = 24$

Ⓔ $24 + 48 = 72$

3 Muestra dos maneras diferentes en las que puedes usar una recta numérica para hallar $70 - 56$.

4 ¿Cuál de las dos estrategias de recta numérica que usaste para resolver el problema 3 prefieres? Explica.

Refina Usar estrategias de suma y resta con números de dos dígitos

Completa el Ejemplo siguiente. Luego resuelve los problemas 1 a 3.

EJEMPLO

Dos números tienen una suma de 80. ¿Cuáles podrían ser los dos números? Escribe ecuaciones de suma para mostrar tres pares posibles de números.

Puedes usar dos números cualesquiera que juntos sumen un total de 80.

$20 + 60 = 80$

$80 = 45 + 35$

$50 + 30 = 80$

Solución ....

....

APLÍCALO

1 Muestra una ecuación de resta relacionada para cada una de las ecuaciones de suma que se muestran en el Ejemplo.

¿Cómo se relacionan la suma y la resta?

$80 - \text{.........} = \text{.........}$

$80 - \text{.........} = \text{.........}$

$\text{.........} = 80 - \text{.........}$

2 Una tienda tiene 57 barras de granola. Luego se venden algunas. Ahora quedan 29 barras de granola. ¿Cuántas barras de granola se vendieron? Muestra tu trabajo.

Para resolver este problema, ¿sumas o restas?

Solución ....

3 Lisa vende 24 boletos menos que Brad para la feria de la escuela. Lisa vende 50 boletos. ¿Cuántos boletos vendió Brad?

Si Lisa vende menos boletos que Brad, ¿quién vende más boletos?

Ⓐ 74

Ⓑ 64

Ⓒ 26

Ⓓ 16

Tyler eligió Ⓒ como respuesta correcta.
¿Cómo obtuvo Tyler su respuesta?

Practica usar estrategias de suma y resta

1 Carmen tiene 53 tarjetas de animales. David tiene 29 tarjetas de animales. ¿Cuántas tarjetas menos tiene David que Carmen? Muestra tu trabajo.

Para resolver el problema, ¿tienes que sumar o restar?

Solución ....

2 Para el problema 1 de arriba, halla cuántas más tarjetas de animales tiene Carmen que David.

¿En qué se parecen el problema 1 y el 2?

Carmen tiene .... tarjetas de animales más que David.

¿Qué notas acerca de tus respuestas a los problemas 1 y 2? Explica.

3 Elige *Sí* o *No* para decir si puedes usar las ecuaciones para hallar ? en el siguiente problema.

$$? - 23 = 61$$

	Sí	No
$61 - ? = 23$	Ⓐ	Ⓑ
$23 + 61 = ?$	Ⓒ	Ⓓ
$61 - 23 = ?$	Ⓔ	Ⓕ
$? - 61 = 23$	Ⓖ	Ⓗ

¿Cómo se relacionan los números de la ecuación?

4 De los 83 estudiantes que van de excursión, 47 son niñas. ¿Cuántos varones van de excursión? Escribe una ecuación de suma y una ecuación de resta que puedan usarse para hallar la solución.

¿Cómo se relacionan la suma y la resta?

5 Durante un mes, Lily recorre en su bicicleta 18 millas más que Raj. Lily recorre en su bicicleta 50 millas. ¿Cuántas millas recorre Raj en su bicicleta?

Ⓐ 68

Ⓑ 48

Ⓒ 42

Ⓓ 32

Cindy eligió Ⓐ como respuesta correcta. ¿Cómo obtuvo Cindy su respuesta?

Si Lily recorre más millas que Raj, ¿entonces quién recorre menos millas?

Refina Usar estrategias de suma y resta con números de dos dígitos

APLÍCALO

Resuelve los problemas.

1. Dalila hace este modelo para resolver un problema. ¿Qué problema resuelve? Escribe una ecuación.

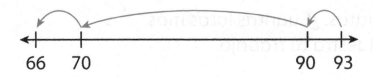

66 70   90 93

.... − .... = ...

2. Un granjero tiene 76 caballos. Hay 27 caballos dentro del establo. Los otros están afuera. ¿Cuántos caballos hay afuera?

Di si puedes usar la ecuación para resolver el problema.

	Sí	No
$27 + ? = 76$	Ⓐ	Ⓑ
$76 = ? + 27$	Ⓒ	Ⓓ
$76 + 27 = ?$	Ⓔ	Ⓕ
$76 - 27 = ?$	Ⓖ	Ⓗ

3. Tim lleva $75 a la tienda para comprar ropa. Cuando sale de la tienda, tiene $19. ¿Cuánto gastó Tim en la tienda?

Ⓐ $56   Ⓑ $66

Ⓒ $84   Ⓓ $94

4 Ahmed y Jenna recogen latas. Ayer, Ahmed recogió 18 latas más que Jenna. Ahmed recogió 47 latas.

Parte A ¿Cuántas latas recogió Jenna? Muestra tu trabajo.

Jenna recogió .... latas.

Parte B Hoy Jenna recogió 51 latas. ¿Cuántas latas más recogió Jenna hoy que ayer? Muestra tu trabajo.

Jenna recogió .... latas más hoy que ayer.

5 DIARIO DE MATEMÁTICAS

Muestra una de las estrategias que usaste en la Parte A o la Parte B en el problema 4 con un modelo o un dibujo rápido.

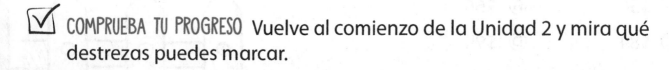

✓ COMPRUEBA TU PROGRESO Vuelve al comienzo de la Unidad 2 y mira qué destrezas puedes marcar.

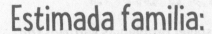
Estimada familia:

Esta semana su niño está aprendiendo a resolver problemas de un paso sumando y restando números de dos dígitos.

Considere este problema verbal: *Jacinda tiene 15 piezas de vidrio marino en su colección. Va a la playa y recolecta algunas más, y ahora tiene 32 piezas en total. ¿Cuántas piezas de vidrio marino recolectó Jacinda en la playa?*

Este tipo de problemas muestran una estructura en la que se **empieza** con un número, se presenta un **cambio** y se termina con un **total**. Para resolver este problema, es necesario hallar cuál es el cambio.

Esto se puede representar de diferentes maneras para que resulte más fácil escribir y resolver ecuaciones.

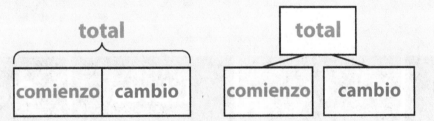

Vea cómo puede usar un diagrama de barras para representar y resolver el problema planteado arriba.

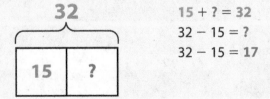

$15 + ? = 32$
$32 - 15 = ?$
$32 - 15 = 17$

Jacinda recolectó 17 vidrios marinos en la playa.

Invite a su niño a compartir lo que sabe sobre resolver problemas de un paso haciendo juntos la siguiente actividad.

ACTIVIDAD RESOLVER PROBLEMAS VERBALES CON NÚMEROS DE DOS DÍGITOS

Haga la siguiente actividad con su niño para ayudarlo a resolver problemas verbales con números de dos dígitos.

Materiales bolígrafo y papel, tarjetas en blanco (opcional), tijeras (opcional)

- Ayude a su niño a hacer tarjetas de problemas verbales, recortando las palabras y números de abajo o escribiéndolos en tarjetas en blanco.

- Pida a su niño que escoja dos números y una categoría de las tarjetas.

- Pídale que invente un problema verbal de suma o resta que incluya los números y la categoría. (Por ejemplo, si su niño escogió 25, 42 y *dólares*, podría decir: *Mike tenía 42 dólares y ganó 25 dólares más. ¿Cuánto dinero tiene ahora?*)

- Luego pida a su niño que resuelva el problema verbal.

- Trabaje con su niño para crear y resolver otros 5 problemas verbales, escogiendo diferentes combinaciones de números y categorías cada vez.

38	17	Libros	Piedras
29	40	Manzanas	Pelotas
16	25	Caracoles	Estampillas
42	11	Lápices	Personas

Explora Resolver problemas verbales con números de dos dígitos

Ya sabes cómo resolver problemas verbales con números de un dígito. Usa lo que sabes para tratar de resolver el siguiente problema.

Objetivo de aprendizaje

- Usar la suma y la resta hasta 100 para resolver problemas verbales de uno y dos pasos con situaciones en las que hay que sumar, quitar, unir, separar y comparar, con valores desconocidos en todas las posiciones.

EPM 1, 2, 3, 4, 5, 6, 8

Los estudiantes del maestro Soto pueden cambiar 75 tapas de leche por materiales para la escuela. Tienen 49 tapas de leche. ¿Cuántas tapas más necesitan para llegar a 75?

PRUÉBALO

Herramientas matemáticas

- cubos conectables
- bloques de base diez
- diagramas de barras
- tablas de 100
- rectas numéricas abiertas

CONVERSA CON UN COMPAÑERO

Pregúntale: ¿Cómo empezaste a resolver el problema?

Dile: Al principio, pensé que . . .

CONÉCTALO

1 REPASA

¿Cuántas tapas de leche más necesita la clase? ....

2 SIGUE ADELANTE

Marta tiene 38 calcomanías. Tia le da más calcomanías. Ahora Marta tiene 93 calcomanías. ¿Cuántas calcomanías le dio Tia a Marta?

a. Puedes usar un modelo para ayudarte a hallar cuántas calcomanías le dio Tia a Marta. Completa el modelo.

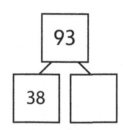

b. También puedes usar ecuaciones para mostrar cuántas calcomanías le dio Tia a Marta. Completa las ecuaciones.

38 + ... = 93   93 − 38 = ...

3 REFLEXIONA

Explica cómo hallar el número de calcomanías con el que comienza Tia si ahora le quedan 27.

....

....

....

Prepárate para resolver problemas verbales con números de dos dígitos

1 Piensa en lo que sabes acerca de los problemas verbales. Llena cada recuadro. Usa palabras, números y dibujos. Muestra tantas ideas como puedas.

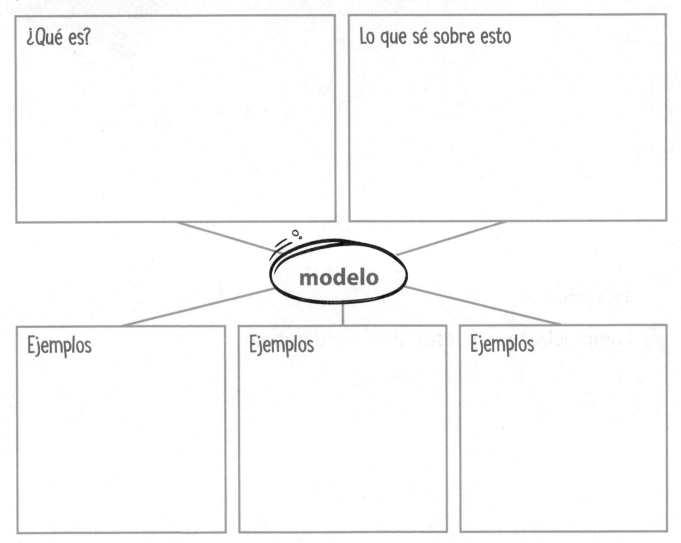

¿Qué es?

Lo que sé sobre esto

modelo

Ejemplos

Ejemplos

Ejemplos

2 Elena tiene 43 canicas. Da 17 canicas a su amiga. ¿El modelo de la derecha la ayuda a hallar cuántas canicas le quedan? ¿Por qué sí o por qué no?

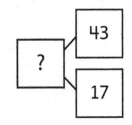

3 Resuelve el problema. Muestra tu trabajo.

Drew necesita 55 códigos de barras para participar en un concurso. Tiene 32 códigos de barras. ¿Cuántos códigos de barras más necesita para llegar a 55?

Solución ....

4 Comprueba tu respuesta. Muestra tu trabajo.

Desarrolla Maneras de representar problemas verbales

Lee el siguiente problema y trata de resolverlo.

> **Todd juega un juego. La tabla muestra sus puntos.**
>
> | Nivel 1 | ? |
> |---------|----------|
> | Nivel 2 | 16 puntos |
> | Total | 55 puntos |

¿Cuántos puntos obtiene Todd en el nivel 1?

Herramientas matemáticas

- bloques de base diez ▸
- enlaces numéricos
- diagramas de barras
- tablas de 100
- rectas numéricas abiertas ▸

CONVERSA CON UN COMPAÑERO

Pregúntale:
¿Puedes explicarme eso otra vez?

Dile: La estrategia que usé para hallar la respuesta fue . . .

Explora diferentes maneras de entender cómo representar problemas verbales.

> **Todd juega un juego. La tabla muestra sus puntos.**

Nivel 1	?
Nivel 2	16 puntos
Total	55 puntos

¿Cuántos puntos obtiene Todd en el nivel 1?

HAZ UN DIBUJO
Puedes hacer un diagrama de barras.

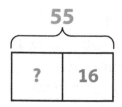

HAZ UN MODELO
Puedes usar una ecuación de suma.

Puntaje del nivel 1	+	Puntaje del nivel 2	=	Puntaje total
?	+	16	=	55

HAZ UN MODELO
Puedes usar una ecuación de resta.

Puntaje total	−	Puntaje del nivel 2	=	Puntaje del nivel 1
55	−	16	=	?

CONÉCTALO

Ahora vas a usar el problema de la página anterior para ayudarte a entender cómo representar problemas verbales.

1 Mira el segundo **Haz un modelo**. Escribe una ecuación de resta diferente que puedas usar para resolver el problema.

.... − .... = ...

2 Muestra cómo resolver el problema de la página anterior en una recta numérica abierta. Luego escribe tu respuesta.

Solución ....

3 ¿Cómo hiciste tu recta numérica para el problema 2? ¿Cuál es otra manera de hallar la respuesta?

4 REFLEXIONA

Repasa **Pruébalo**, las estrategias de tus compañeros, **Haz un dibujo** y los **Haz un modelo**. ¿Qué modelos o estrategias prefieres para representar un problema verbal? Explica.

....

....

....

APLÍCALO

Usa lo que acabas de aprender para resolver estos problemas.

5 Matt tiene 72 tarjetas de deportes. Luego compra más tarjetas. Ahora tiene 90 tarjetas. ¿Cuántas tarjetas más compró Matt? Muestra tu trabajo.

Solución

6 Neve tiene algunas flores. Luego recoge 18 flores más. Ahora tiene 43 flores. ¿Cuántas flores tenía Neve al principio? Muestra tu trabajo.

Solución

7 Shari tiene una nueva cámara. Toma 27 fotos el lunes. Toma 35 fotos el martes. ¿Qué ecuaciones podrías resolver para hallar cuántas fotos toma Shari en los dos días?

Ⓐ $? = 27 + 35$

Ⓑ $? = 35 - 27$

Ⓒ $? = 35 + 27$

Ⓓ $? - 35 = 27$

Ⓔ $35 - ? = 27$

Practica maneras de representar problemas verbales

Estudia el Ejemplo, que muestra cómo usar las ecuaciones para resolver problemas verbales. Luego resuelve los problemas 1 a 6.

EJEMPLO

Ted tiene algunas cuentas. Luego consigue 18 cuentas más. Ahora tiene 42 cuentas. ¿Cuántas cuentas tenía Ted al principio?

Usa la suma: o   **Usa la resta:**

principio + cambio = total   total − cambio = principio

?   +   18   =   42   42   −   18   =   ?

? = 24

Ted tenía 24 cuentas al principio.

La Sra. Tate tiene algunos peces en su pecera. Compra 25 peces más. Ahora hay 73 peces en la pecera.

1. Completa el modelo y las ecuaciones para mostrar cuántos peces había en la pecera al principio.

   ? + ... = ...

   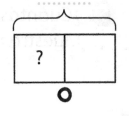

   .... − .... = ?

2. ¿Cuántos peces había en la pecera al principio? Muestra tu trabajo.

Solución ....

La Sra. Lopez conduce un número de millas hacia el norte. Luego conduce 34 millas hacia el oeste. Condujo 93 millas en total.

3 Completa las ecuaciones para mostrar cuántas millas condujo la Sra. Lopez hacia el norte.

$? + \underline{\hspace{2cm}} = \underline{\hspace{2cm}}$ y $\underline{\hspace{2cm}} - \underline{\hspace{2cm}} = ?$

4 Completa la recta numérica abierta. Luego resuelve el problema. Muestra tu trabajo.

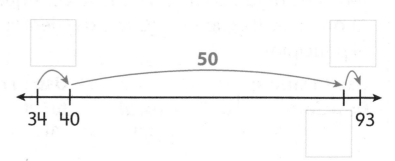

La Sra. Lopez condujo _____ millas hacia el norte.

Stella tiene algunas tarjetas. Luego hace 13 tarjetas más. Ahora tiene 41 tarjetas.

5 ¿Cuántas tarjeta tenía Stella al principio?
Muestra tu trabajo.

Solución _____

6 Escribe y resuelve un problema parecido al problema 5.
Usa diferentes números.

Lee el siguiente problema y trata de resolverlo.

> Hay algunos libros en un estante. Los estudiantes toman 24 libros. Ahora hay 38 libros en el estante. ¿Cuántos libros había en el estante al principio?

PRUÉBALO

Herramientas matemáticas

- bloques de base diez
- enlaces numéricos
- diagramas de barras
- tablas de 100
- rectas numéricas abiertas

CONVERSA CON UN COMPAÑERO

Pregúntale: ¿Por qué elegiste esa estrategia?

Dile: No estoy de acuerdo con esta parte porque...

Explora más maneras de entender cómo representar problemas verbales.

> Hay algunos libros en un estante. Los estudiantes toman 24 libros. Ahora hay 38 libros en el estante. ¿Cuántos libros había en el estante al principio?

HAZ UN MODELO

Puedes mostrar el problema con palabras.

total de libros

libros tomados

libros que quedan en el estante

HAZ UN MODELO

Puedes mostrar el problema con números.

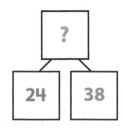

?

24   38

CONÉCTALO

Ahora vas a usar el problema de la página anterior para ayudarte a entender más maneras de representar y resolver problemas verbales.

1 Mira el segundo **Haz un modelo**. Escribe una ecuación de suma y una ecuación de resta para el problema.

.... = ... + ... − .... = ...

2 Escribe una ecuación de suma diferente que podrías usar para resolver el problema.

.... + ... = ...

3 ¿Cuál es el número total de libros que había en el estante al principio? Muestra tu trabajo.

4 REFLEXIONA

Repasa **Pruébalo**, las estrategias de tus compañeros y los **Haz un modelo**. ¿Qué modelos o estrategias prefieres para representar problemas verbales? Explica.

....

....

....

....

APLÍCALO

Usa lo que acabas de aprender para resolver estos problemas.

5 Los estudiantes están ayudando a limpiar el parque. Al mediodía, 33 estudiantes se fueron a casa. Ahora quedan 48 estudiantes limpiando el parque. ¿Cuántos estudiantes había al principio? Muestra tu trabajo.

Solución ....

6 En un vagón rojo viajan 55 pasajeros. En un vagón azul viajan 29 pasajeros. ¿Cuántos pasajeros menos viajan en el vagón azul que en el vagón rojo? Muestra tu trabajo.

Solución ....

7 Primero explica cómo representar el siguiente problema usando palabras. Luego explica cómo representar el problema usando números.

Kevin cosecha algunas manzanas. Usa 24 manzanas para hacer pasteles. Le quedan 19 manzanas. ¿Cuántas manzanas cosechó Kevin?

Practica más maneras de representar problemas verbales

Estudia el Ejemplo, que muestra cómo hacer representaciones usando palabras y números. Luego resuelve los problemas 1 a 6.

EJEMPLO

Hay algunos patos en un estanque. Luego 17 patos se van volando. Ahora hay 45 patos en el estanque. ¿Cuántos patos había en el estanque al principio?

Representa el problema con palabras o con números. Luego escribe una ecuación.

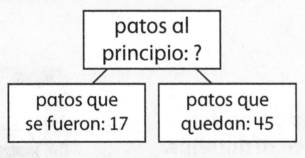

patos al principio: ?

patos que se fueron: 17

patos que quedan: 45

$$17 + 45 = 62$$

Había 62 patos al principio.

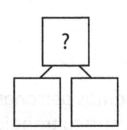

**Rick tiene algunas uvas. Se come 15.
Luego le quedan 19 uvas.**

?

1 Completa el enlace numérico de la derecha para representar el problema.

2 ¿Cuántas uvas tenía Rick al principio?
Muestra tu trabajo.

Solución ....

Una tienda de deportes vende bates de beisbol. En una semana se venden 34 bates. Luego a la tienda le quedan 46 bates. ¿Cuántos bates tenía la tienda al principio?

3 Representa el problema con palabras. Completa el enlace numérico de la derecha.

4 Resuelve el problema. Muestra tu trabajo.

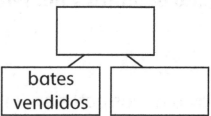

bates vendidos

Solución ....

Hay 41 personas esperando en la parada del autobús. Luego 23 de ellas se suben al autobús. Ahora hay 39 personas en el autobús.

5 ¿Cuántas personas están todavía esperando en la parada de autobús? Muestra tu trabajo.

Solución ....

6 ¿Cuántas personas había en el autobús al principio? Muestra tu trabajo.

Solución ....

Desarrolla Maneras de resolver problemas verbales de dos pasos

Lee el siguiente problema y trata de resolverlo.

> **Gabi busca 25 huevos. Su hermano busca 13 huevos. Luego venden 18 huevos. ¿Cuántos huevos tienen ahora?**

PRUÉBALO

Herramientas matemáticas

- bloques de base diez
- enlaces numéricos
- diagramas de barras
- tablas de 100
- rectas numéricas abiertas

CONVERSA CON UN COMPAÑERO

Pregúntale: ¿Estás de acuerdo conmigo? ¿Por qué sí o por qué no?

Dile: Al principio, pensé que . . .

Explora diferentes maneras de entender cómo resolver problemas verbales de dos pasos.

> **Gabi busca 25 huevos. Su hermano busca 13 huevos. Luego venden 18 huevos. ¿Cuántos huevos tienen ahora?**

HAZ UN DIBUJO

Puedes hacer un dibujo de cada paso.

Paso 1:   25 huevos   +   13 huevos

Paso 2:   38 huevos   − **18 huevos vendidos**

HAZ UN MODELO

Puedes hacer un modelo de cada paso.

Paso 1:

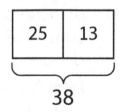

Paso 2:

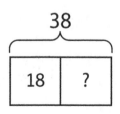

CONÉCTALO

Ahora vas a usar el problema de la página anterior para ayudarte a entender cómo resolver problemas verbales de dos pasos usando ecuaciones.

1 Mira **Haz un dibujo**. Escribe una ecuación para el Paso 1.

.... + ... = ...

2 Mira **Haz un modelo**. Escribe una ecuación para el Paso 2.

.... − .... = ...

3 ¿Cuántos huevos tienen Gabi y su hermano

ahora? ....

4 ¿Cómo sabes si se necesitan dos pasos para resolver un problema?

5 REFLEXIONA

Repasa **Pruébalo**, las estrategias de tus compañeros, **Haz un dibujo** y **Haz un modelo**. ¿Qué modelos o estrategias prefieres para resolver problemas verbales de dos pasos? Explica.

....

....

....

APLÍCALO

Usa lo que acabas de aprender para resolver estos problemas.

6 Finn tiene 57 marcadores. Da 15 marcadores a su hermano. Luego consigue 22 marcadores nuevos. ¿Cuántos marcadores tiene Finn ahora? Muestra tu trabajo.

Finn tiene .... marcadores ahora.

7 Hay dos botellas de jugo que tienen una capacidad de 32 onzas líquidas cada una. La familia de Julia bebe 48 onzas líquidas de jugo. ¿Cuántas onzas líquidas quedan? Completa los diagramas de barras.

Quedan .... onzas líquidas de jugo.

Paso 1:

8 Anton vende 65 boletos para la obra de teatro. Vende 32 el lunes y 26 el martes. Elige *Sí* o *No* para decir qué ecuaciones pueden usarse en un paso para hallar cuántos boletos vende Anton el miércoles.

Paso 2:

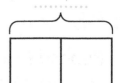

	Sí	No
$33 - 26 = 7$	Ⓐ	Ⓑ
$65 + 32 = 97$	Ⓒ	Ⓓ
$97 - 26 = 71$	Ⓔ	Ⓕ
$65 - 32 = 33$	Ⓖ	Ⓗ

Practica maneras de resolver problemas verbales de dos pasos

Estudia el Ejemplo, que muestra una manera de resolver un problema verbal de dos pasos. Luego resuelve los problemas 1 a 4.

EJEMPLO

Mariel prepara 52 tazas de fruta para un día de campo. Da 34 tazas de fruta. Luego prepara 15 tazas de fruta más. ¿Cuántas tazas de fruta tiene Mariel ahora?

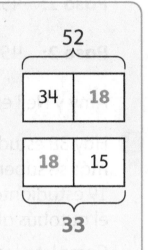

Paso 1:   52 tazas de fruta – 34 tazas de fruta
= **18** tazas de fruta

Paso 2:   **18** tazas de fruta + 15 tazas de fruta
= **33** tazas de fruta

Mariel tiene 33 tazas de fruta ahora.

---

1 Gabe tiene 68 bloques de construcción. Consigue 27 bloques más. Luego usa 73 bloques de construcción para hacer un granero. ¿Cuántos bloques de construcción le quedan a Gabe?

Muestra tu trabajo. Completa los diagramas de barras.

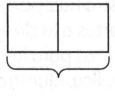
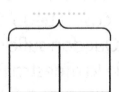

A Gabe le quedan .... bloques de construcción.

Lección 9 Resuelve problemas verbales con números de dos dígitos   **233**

2 Amy encuentra 45 hojas. Nell encuentra 23 hojas menos que Amy. ¿Cuántas hojas encontraron en total?

Completa las ecuaciones para cada paso.

Paso 1:   45 .... 23 = ...

Paso 2:   45 + ... = ...

Amy y Nell encontraron .... hojas en total.

3 Hay 38 estudiantes en el autobús. Luego 16 estudiantes más se suben al autobús. En la primera parada, 19 estudiantes se bajan. ¿Cuántos estudiantes hay en el autobús ahora?

Completa los diagramas de barras. Muestra tu trabajo.

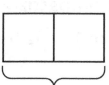

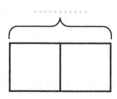

Solución ....

4 El maestro King tiene 75 copias de las Cartas a la familia. Da 27 cartas a la maestra Ruiz para que su clase las lleve a casa. Luego da 25 cartas a la clase del maestro Allen. ¿Quedan suficientes cartas para los 25 niños de la clase de la maestra Park? Explica. Muestra tu trabajo.

Refina Resolver problemas verbales con números de dos dígitos

Completa el Ejemplo siguiente. Luego resuelve los problemas 1 a 3.

EJEMPLO

La puntuación del examen de matemáticas de Keesha es de 95. La puntuación de John es de 13 puntos menos que la de Keesha. ¿Cuál es la puntuación de John?

Puedes mostrar tu trabajo en una recta numérica abierta.

   Puntuación de Keesha − 13 = Puntuación de John   95 − 13 = ?

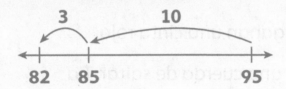

Solución ....

APLÍCALO

1 Hay 22 pasajeros en un tren. En la siguiente parada se suben más pasajeros. Ahora hay 51 pasajeros en el tren. ¿Cuántos pasajeros se subieron en la parada? Muestra tu trabajo.

¿Puedes hacer un modelo para ayudarte a pensar en el problema?

Solución ....

2 47 perros pequeños y 33 perros grandes ganan una cinta roja en el concurso de mascotas. 28 perros ganan una cinta azul. ¿Cuántos perros más ganan una cinta roja que una cinta azul? Muestra tu trabajo.

¿Cuántos perros ganaron una cinta roja?

.... perros más ganan una cinta roja.

3 Liz salta 42 veces con una cuerda de saltar. Tia hace 17 saltos menos. ¿Cuántos saltos hace Tia?

¿Qué niña hace más saltos?

Ⓐ 24

Ⓑ 25

Ⓒ 35

Ⓓ 59

Ramin eligió Ⓑ como respuesta correcta. ¿Cómo obtuvo Ramin su respuesta?

Practica resolver problemas verbales con números de dos dígitos

1 Carlos vende 32 pastelitos en una venta de pasteles. Jake vende 25 pastelitos menos. ¿Cuántos pastelitos vende Jake?

¿Quién vende más pastelitos?

Elige *Sí* o *No* para decir si la ecuación puede usarse para resolver el problema.

	Sí	No
$25 + ? = 32$	Ⓐ	Ⓑ
$25 + 32 = ?$	Ⓒ	Ⓓ
$32 - ? = 25$	Ⓔ	Ⓕ
$32 - 25 = ?$	Ⓖ	Ⓗ

2 Hay algunas cuentas en una caja. Anne usa 17. Ahora hay 56 cuentas en la caja. ¿Cuántas cuentas había en la caja al principio?

¿Puedes hacer un modelo para ayudarte a pensar en el problema?

Ⓐ 79

Ⓑ 73

Ⓒ 39

Ⓓ 29

Dave eligió Ⓒ como respuesta correcta. ¿Cómo obtuvo Dave su respuesta?

3 La tabla muestra cuántas rosas de cada color tiene a la venta una tienda.

Rosas rojas	65
Rosas amarillas	43
Rosas blancas	?

¿Puedes escribir una ecuación de suma? ¿Puedes escribir una ecuación de resta?

Hay 26 rosas blancas menos que rosas amarillas. ¿Cuántas rosas rojas y rosas blancas tiene la tienda en total? Muestra tu trabajo.

Solución

4 La tienda tiene 43 rosas amarillas. Chen compra algunas rosas amarillas. Luego quedan 29 rosas amarillas en la tienda. ¿Cuántas rosas amarillas compró Chen?

¿Qué sabes? ¿Qué es lo que hay que averiguar?

Ⓐ 12

Ⓑ 14

Ⓒ 36

Ⓓ 72

5 Hay 23 camisetas lisas y 18 camisetas a rayas en un exhibidor. ¿Cuántas camisetas hay en el exhibidor?

Para resolver el problema, ¿sumas o restas?

Ⓐ 5

Ⓑ 15

Ⓒ 41

Ⓓ 43

Refina Resolver problemas verbales con números de dos dígitos

Resuelve los problemas.

1 Ty lee 47 páginas de un libro. Meg lee 56 páginas. ¿Cuántas páginas más lee Meg que Ty?

¿Qué ecuaciones puedes usar para resolver este problema?

Ⓐ $56 + ? = 47$

Ⓑ $47 + ? = 56$

Ⓒ $56 = 47 + ?$

Ⓓ $56 - ? = 47$

2 Un beagle pesa 26 libras. Un pug pesa 8 libras menos que el beagle. ¿Cuántas libras pesa el pug?

Ⓐ 34

Ⓑ 20

Ⓒ 18

Ⓓ 13

3 Sara tiene 52 bolígrafos. Los coloca en dos vasos. Completa cada ecuación para mostrar algunas de las maneras en las que Sara podría colocar todos sus bolígrafos en los dos vasos.

.... + ... = 52   .... + ... = 52

.... + ... = 52   .... + ... = 52

4 Hay 64 pelotas y 58 bates en el gimnasio. ¿Cuántas pelotas más que bates hay?

¿Puede usarse cada ecuación para resolver el problema?

	Sí	No
$58 + ? = 64$	Ⓐ	Ⓑ
$64 - 58 = ?$	Ⓒ	Ⓓ
$64 + 58 = ?$	Ⓔ	Ⓕ
$64 - ? = 58$	Ⓖ	Ⓗ

5 Hay 100 personas esperando en una fila para subir a la montaña rusa. 42 personas se suben a la montaña rusa. Luego 30 personas más llegan a la fila. ¿Cuántas personas hay en la fila ahora?

Ⓐ 12

Ⓑ 28

Ⓒ 72

Ⓓ 88

6 DIARIO DE MATEMÁTICAS

Escribe un problema verbal usando los números 23 y 59. Luego resuelve el problema.

 COMPRUEBA TU PROGRESO Vuelve al comienzo de la Unidad 2 y mira qué destrezas puedes marcar.

Resuelve problemas verbales de dinero

Estimada familia:

Esta semana su niño está aprendiendo a hallar el valor del dinero y a solucionar problemas verbales con monedas y billetes.

Su niño aprenderá sobre el valor de las monedas de 1¢, 5¢, 10¢ y 25¢.

Para hallar el valor de un conjunto de monedas de 5¢, su niño puede contar de cinco en cinco.

5¢   10¢   15¢   20¢

El valor de cuatro monedas de 5¢ es 20¢.

Para hallar el valor de un conjunto de monedas de 10¢, su niño puede contar de diez en diez.

10¢   20¢   30¢   40¢

El valor de cuatro monedas de 10¢ es 40¢.

Invite a su niño a compartir lo que sabe sobre el dinero haciendo juntos la siguiente actividad.

ACTIVIDAD CONTAR DINERO

Haga la siguiente actividad con su niño para explorar cómo hallar el valor del dinero.

Materiales 10 monedas de 1¢ (o círculos de papel con el rótulo de 1¢), 10 monedas de 5¢ (o 10 círculos de papel con el rótulo de 5¢), 10 monedas de 10¢ (o 10 círculos de papel con el rótulo de 10¢), tarjetas en blanco o papeles rotulados del 1 al 10.

- Combine las monedas y extiéndalas sobre la mesa. Invite a su niño a que agrupe las monedas y que le diga el nombre y el valor de cada tipo de moneda.

- Pídale a su niño que elija un tipo de moneda. Mezcle las tarjetas numeradas del 1 al 10 y haga que su niño elija una tarjeta. Su niño formará un grupo de monedas usando el número en la tarjeta. (Por ejemplo, si su niño elije monedas de 10¢ y el número de la tarjeta es 6, tendrá que formar un grupo de 6 monedas de 10¢.)

- Anime a su niño a que cuente de uno en uno, cinco en cinco o diez en diez para determinar el valor de cada grupo de monedas. Si es necesario, haga que su niño coloque las monedas en una línea y cuenten juntos de izquierda a derecha.

- Después de completar unas cuantas rondas, pídale a su niño que forme grupos de monedas de 1¢ , 5¢ y 10¢ , usando la tarjeta numerada que elija. Luego compare el valor de cada grupo.

Explora Resolver problemas verbales de dinero

Ya sabes cómo resolver problemas con números de uno y dos dígitos. Usa lo que sabes para tratar de resolver el siguiente problema.

Objetivo de aprendizaje

- Resolver problemas verbales relacionados con billetes de dólar, monedas (de 25¢, de 10¢, de 5¢ y de 1¢), usando los símbolos $ y ¢ de manera apropiada.

EPM 1, 2, 3, 4, 5, 6, 7

Lee, Seth y Jack tienen 5 monedas cada uno.

Las de Lee valen 1 centavo cada una. (1¢) (1¢) (1¢) (1¢) (1¢)

Las de Seth valen 5 centavos cada una. (5¢) (5¢) (5¢) (5¢) (5¢)

Las de Jack valen 10 centavos cada una. (10¢) (10¢) (10¢) (10¢) (10¢)

¿Qué niño tiene más dinero?

PRUÉBALO

Herramientas matemáticas

- monedas de juguete
- cubos conectables
- bloques de base diez
- tablas de 100
- rectas numéricas abiertas ⬈

CONVERSA CON UN COMPAÑERO

Pregúntale: ¿Por qué elegiste esa estrategia?

Dile: Al principio, pensé que . . .

CONÉCTALO

① REPASA

¿Quién tiene más dinero? Explica cómo lo sabes.

② SIGUE ADELANTE

Usa ¢ para mostrar **centavos** y $ para mostrar **dólares**.
5¢ son 5 centavos. $5 son 5 dólares.

Cada tipo de moneda y billete tiene un valor diferente.

Nombre	Valor	Frente	Reverso
moneda de 1¢	1¢		
moneda de 5¢	5¢		
moneda de 10¢	10¢		
moneda de 25¢	25¢		

Un billete de $1 tiene el mismo valor que 100¢.

También existen otros tipos de billetes, como de $5, $10, $20, $50 y $100.

Completa los espacios en blanco.

a. .... monedas de 1¢ = 1 moneda de 5¢

b. .... monedas de 1¢ = 1 moneda de 10¢

c. .... monedas de 5¢ = 1 moneda de 10¢

d. .... monedas de 5¢ = 1 moneda de 25¢

③ REFLEXIONA

Raul tiene 4 monedas de 10¢ y Pilar tiene 4 monedas de 5¢. ¿Por qué tienen diferentes cantidades de dinero?

Prepárate para resolver problemas verbales de dinero

1 Piensa en lo que sabes acerca de usar dinero. Llena cada recuadro. Usa palabras, números y dibujos. Muestra tantas ideas como puedas.

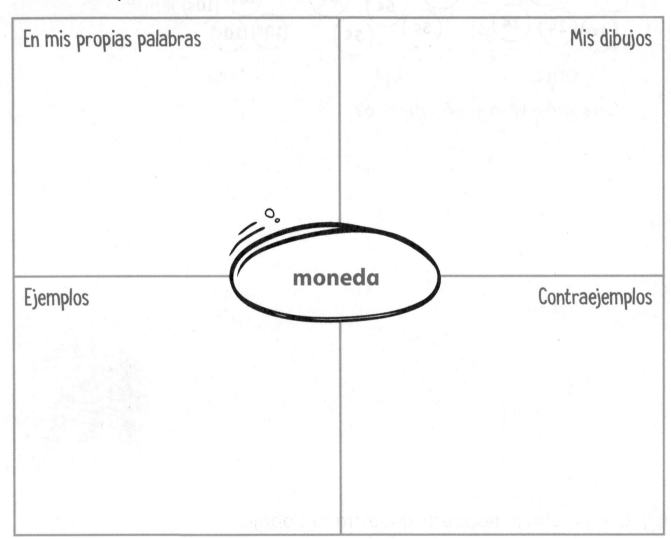

En mis propias palabras	Mis dibujos
moneda	
Ejemplos	Contraejemplos

2 Hao tiene dinero con un valor total de 10 centavos. ¿Qué monedas podría tener Hao? Explica.

3 Resuelve el problema. Muestra tu trabajo.

Olga, Leti y Jean tienen 7 monedas cada uno.

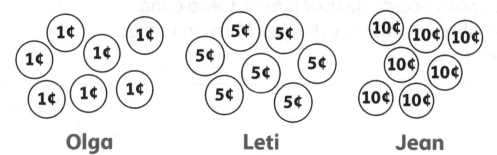

Olga   Leti   Jean

¿Qué niño tiene más dinero?

Solución ....

4 Comprueba tu respuesta. Muestra tu trabajo.

Desarrolla Hallar el valor de conjuntos de monedas iguales

Lee el siguiente problema y trata de resolverlo.

> **Carla necesita $1 para comprar un bloc de notas. Toma todas las monedas de 5¢ de su frasco. Abajo se muestran las moneda de 5¢ de Carla. ¿Tiene Carla suficiente dinero para comprar un bloc de notas?**

PRUÉBALO

Herramientas matemáticas

- monedas de juguete
- cubos conectables
- bloques de base diez
- tablas de 100
- rectas numéricas abiertas ⬆

CONVERSA CON UN COMPAÑERO

Pregúntale: ¿Puedes explicarme eso otra vez?

Dile: Comencé por . . .

Explora diferentes maneras de entender cómo hallar el valor de un grupo de monedas de 5¢.

Carla necesita $1 para comprar un bloc de notas. Toma todas las monedas de 5¢ de su frasco. ¿Tiene Carla suficiente dinero para comprar un bloc de notas?

HAZ UN MODELO
Puedes contar de cinco en cinco.

5	10	15	20	25	30	35	40	45	50
55	60	65	70	75	80	85	90	95	100

HAZ UN MODELO
Puedes formar grupos de 2 monedas de 5¢. Luego cuenta de diez en diez.

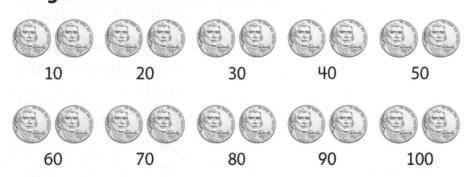

10   20   30   40   50

60   70   80   90   100

CONÉCTALO

Ahora vas a usar el problema de la página anterior para ayudarte a entender cómo hallar el valor de grupos de monedas de 5¢.

1 Mira el segundo **Haz un modelo**. ¿Cuál es el valor de

2 monedas de 5¢? .... ¢

2 ¿Qué moneda tiene el mismo valor que 2 monedas de 5¢?

....

3 ¿Por qué puedes contar de diez en diez?

4 ¿En qué se parece contar de cinco en cinco a contar de diez en diez?

5 ¿Tiene Carla suficiente dinero para comprar un bloc de notas? ¿Cómo lo sabes?

6 **REFLEXIONA**

Repasa **Pruébalo**, las estrategias de tus compañeros y los **Haz un modelo**. ¿Qué modelos o estrategias prefieres para hallar el valor de un grupo de monedas de 5¢? Explica.

....

APLÍCALO

Usa lo que acabas de aprender para resolver estos problemas.

7 Amy y Josh tienen $1 en monedas cada uno. Amy tiene monedas de 25¢. Josh tiene monedas de 10¢. ¿Cuántas de cada tipo de moneda tienen Josh y Amy? Muestra tu trabajo.

Amy tiene .... monedas de 25¢.

Josh tiene .... monedas de 10¢.

8 Julio y Kent tienen la misma cantidad de dinero. Julio tiene 1 moneda de 10¢. Kent tiene 2 monedas. ¿Qué monedas tiene Kent?

9 Sadie tiene la misma cantidad de dinero que 1 moneda de 25¢. ¿Qué grupo de monedas podría tener Sadie?

Ⓐ

Ⓑ

Ⓒ

Ⓓ

Practica hallar el valor de conjuntos de monedas iguales

Estudia el Ejemplo, que muestra cómo hallar el valor de un conjunto de monedas. Luego resuelve los problemas 1 a 5.

EJEMPLO

Danny coloca estas monedas de 5¢ en su alcancía.
¿Cuánto dinero ahorra Danny?

Puedes formar grupos de 2 monedas de 5¢.
Luego cuenta de diez en diez.

Danny ahorra 80¢.

1 Jared tiene estas monedas de 10¢. Cuenta de diez en diez para hallar el valor total de las monedas de 10¢. Completa los espacios en blanco.

10¢ ....

¿Cuál es el valor total de las monedas de Jared? ....

2 Cindy tiene estas monedas de 25¢. Completa los espacios en blanco para contar el valor total.

25¢ ....

¿Cuántos centavos tiene Cindy? ....

3 ¿Cuál es otro nombre para el valor de las monedas

de Cindy? ....

4 George, Amber y Jenna tienen $1 en monedas cada uno. George tiene monedas de 25¢. Amber tiene monedas de 10¢. Jenna tiene monedas de 5¢. ¿Cuántas de cada tipo de moneda tienen George, Amber y Jenna? Muestra tu trabajo.

George tiene .... monedas de 25¢.

Amber tiene .... monedas de 10¢.

Jenna tiene .... monedas de 5¢.

5 Jody tiene $1 en monedas de 1¢. ¿Cuántas monedas de 1¢ tiene Jody?

Ⓐ 4   Ⓑ 10

Ⓒ 20   Ⓓ 100

Desarrolla Hallar el valor de conjuntos de monedas mixtas

Lee el siguiente problema y trata de resolverlo.

Erik encuentra estas monedas en el piso. ¿Cuántos centavos encuentra?

PRUÉBALO

Herramientas matemáticas
- monedas de juguete
- cubos conectables
- bloques de base diez
- tablas de 100
- rectas numéricas abiertas

CONVERSA CON UN COMPAÑERO

Pregúntale: ¿Cómo empezaste a resolver el problema?

Dile: No sé bien cómo hallar la respuesta porque . . .

Explora diferentes maneras de entender cómo hallar el valor de las monedas.

Erik encuentra estas monedas en el piso. ¿Cuántos centavos encuentra?

HAZ UN DIBUJO

Puedes agrupar las monedas y pensar en el valor de cada una.

| 10¢ | 10¢ | 10¢ | 5¢ | 5¢ | 5¢ | 1¢ | 1¢ |

HAZ UN MODELO

Puedes hacer un modelo.

10	10	10	5	5	5	1	1

HAZ UN MODELO

Puedes escribir una ecuación de suma.

$$10 + 10 + 10 + 5 + 5 + 5 + 1 + 1 = ?$$

CONÉCTALO

Ahora vas a usar el problema de la página anterior para ayudarte a entender cómo hallar el valor de las monedas.

1 Mira **Haz un dibujo**. Cuenta hacia delante el valor de cada moneda para hallar el total de centavos. Cada vez que las monedas cambian, asegúrate de cambiar lo que cuentas.

10¢   20¢   ....

2 Erik usa el segundo **Haz un modelo**. Él suma valores de esta manera. Completa la suma.

$$10 + 10 + 10 + 5 + 5 + 5 + 1 + 1$$

30   +   15   +   2   = ...

3 ¿Por qué es útil agrupar las monedas para hallar el valor total?

4 REFLEXIONA

Repasa **Pruébalo**, las estrategias de tus compañeros, **Haz un dibujo** y los **Haz un modelo**. ¿Qué modelos o estrategias prefieres para hallar el valor de las monedas? Explica.

....

....

....

APLÍCALO

Usa lo que acabas de aprender para resolver estos problemas.

5 Aisha tiene las monedas que se muestran.
¿Cuántos centavos tiene? Muestra tu trabajo.

Solución .... ¢

6 Dibuja otro conjunto de monedas que tenga el mismo
valor que las monedas del problema 5.

7 Steve tiene 12¢. Luego encuentra estas monedas
en su bolsillo. ¿Cuántos centavos tiene Steve
ahora? Muestra tu trabajo.

Solución .... ¢

8 Malinda tiene estas monedas. ¿Cuántos
centavos tiene? Muestra tu trabajo.

Solución .... ¢

Practica hallar el valor de conjuntos de monedas mixtas

Estudia el Ejemplo, que muestra cómo hallar el valor de un conjunto de monedas. Luego resuelve los problemas 1 a 7.

EJEMPLO

Mindy tiene estas monedas.
¿Cuántos centavos tiene?

Puedes contar hacia delante.

| 25 | 35 | 45 | 55 | 60 | 61 |

Puedes sumar.

$25 + 10 + 10 + 10 + 5 + 1$

$25 \quad + \quad 30 \quad + \quad 5 + 1 = 61¢$

Mindy tiene 61¢.

1 Mira las monedas de Grant que se muestran abajo.
Cuenta hacia delante para hallar el valor total de
esas monedas. Completa los espacios en blanco.

10¢, ..., 25¢, ..., ..., 36¢, ...

2 Mira las monedas de Grant
en el problema 1. Suma los
valores de las monedas.
Llena los recuadros.

$10 + 10 + 5 + 5 + 5 + 1 + 1$

☐ + 15 + ☐ = ☐ ¢

3 Mira las monedas de Grant en el problema 1.
¿Cuántos centavos tiene Grant?

Grant tiene .... ¢.

4 Hart tiene las monedas que se muestran a la derecha. ¿Cuántos centavos tiene? Muestra tu trabajo.

Solución .... ¢

5 Lila tiene las monedas que se muestran a la derecha. ¿Cuántos centavos tiene? Muestra tu trabajo.

Solución .... ¢

6 Ted tiene las monedas que se muestran a la derecha. ¿Cuántos centavos tiene? Muestra tu trabajo.

Solución .... ¢

7 Mira las monedas del problema 6. Dibuja un conjunto diferente de monedas que tenga el mismo valor.

Dibuja tus monedas así

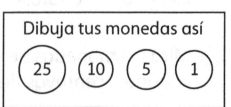
(25) (10) (5) (1)

Desarrolla Resolver problemas verbales de dinero

Lee el siguiente problema y trata de resolverlo.

> **Liam tiene un billete de $100. Kane tiene dos billetes de $20 y uno de $5. Kane recibe más dinero para su cumpleaños. Ahora tiene la misma cantidad de dinero que tiene Liam. ¿Cuánto dinero recibió Kane para su cumpleaños?**

PRUÉBALO

Herramientas matemáticas

- billetes de juguete
- cubos conectables
- bloques de base diez
- tablas de 100
- rectas numéricas abiertas ▸

Explora diferentes maneras de entender cómo representar problemas verbales de dinero.

> **Liam tiene un billete de $100. Kane tiene dos billetes de $20 y uno de $5. Kane recibe más dinero para su cumpleaños. Ahora tiene la misma cantidad de dinero que tiene Liam. ¿Cuánto dinero recibió Kane para su cumpleaños?**

HAZ UN MODELO

Puedes usar diagramas de barras.

Paso 1: Kane tiene dos billetes de $20 y uno de $5.

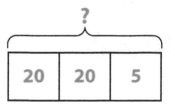

Paso 2: Kane recibe algunos billetes más. Ahora tiene $100.

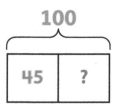

HAZ UN MODELO

Puedes usar rectas numéricas abiertas.

Paso 1: Kane tiene dos billetes de $20 y uno de $5.

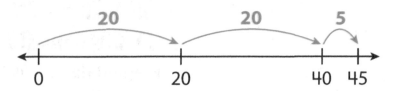

Paso 2: Kane recibe algunos billetes más. Ahora tiene $100.

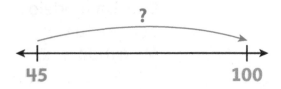

CONÉCTALO

Ahora vas a usar el problema de la página anterior para ayudarte a entender cómo representar y resolver problemas verbales de dinero.

1 Escribe una ecuación de suma para mostrar cuánto dinero tenía Kane al principio.

.... + ... + ... = ...

2 ¿Cuánto dinero tiene Kane después de su cumpleaños? ¿Cómo lo sabes?

3 Escribe una ecuación para el Paso 2.

4 ¿Cuánto dinero recibe Kane para su cumpleaños? ....

Dibuja el conjunto de billetes que podría haber recibido.

5 REFLEXIONA

Repasa **Pruébalo**, las estrategias de tus compañeros y los **Haz un modelo**. ¿Qué modelos o estrategias prefieres para resolver problemas verbales de dinero? Explica.

APLÍCALO

Usa lo que acabas de aprender para resolver estos problemas.

6 Izzy compra un libro por $13. Paga con un billete de $20. ¿Qué billetes le podrían dar de cambio a Izzy? Muestra tu trabajo.

Solución ....

7 Janet tiene $58 en billetes en su billetera. Tiene un billete de $20 y uno de $10. ¿Qué otros conjuntos de billetes podría tener Janet? Muestra tu trabajo.

Solución ....

8 A Aiden le pagan el lunes. El martes le pagan con un billete de $20 y uno de $5. A Aiden le pagaron un total de $43 en ambos días. ¿Cuánto dinero le pagaron a Aiden el lunes?

Solución ....

Practica resolver problemas verbales de dinero

Estudia el Ejemplo, que muestra cómo resolver un problema verbal de dinero. Luego resuelve los problemas 1 a 7.

EJEMPLO

Kit tiene $50. Jan tiene dos billetes de $10 y dos de $5. Jan gana más dinero rastrillando hojas. Luego tiene la misma cantidad de dinero que Kit. ¿Cuánto dinero gana Jan rastrillando hojas?

Paso 1: Halla cuánto dinero tenía Jan al principio. ⟶ 10 + 10 + 5 + 5 = 30

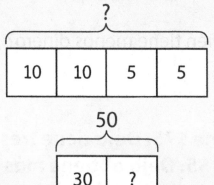

Paso 2: Halla cuánto dinero gana Jan rastrillando hojas. ⟶ 50 − 30 = 20

Jan gana $20 rastrillando hojas.

1 Muestra cómo puedes usar una recta numérica abierta para representar el Paso 1 del Ejemplo. Escribe un número en cada recuadro.

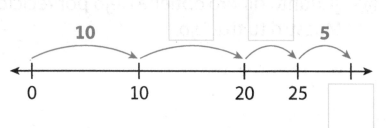

2 Muestra cómo puedes usar una recta numérica abierta para representar el Paso 2 del Ejemplo. Escribe un número en el recuadro.

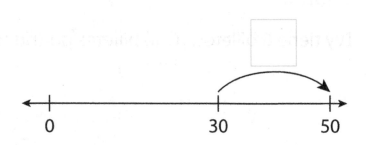

Noah tiene dos billetes de $20 y uno de $10.
Thai tiene dos billetes de $10 y dos de $5.

3 Completa la ecuación para mostrar cuánto dinero
tiene Noah.

$20 + 20 + 10 =$ ....

4 Escribe una ecuación para mostrar cuánto dinero
tiene Thai.

.... + ... + ... + ... = ...

5 ¿Quién tiene menos dinero? ¿Cuánto menos?

Ivy tiene $75. Deja tiene tres billetes de $20 y
uno de $5. Deja obtiene más dinero por reciclar
latas. Luego tiene la misma cantidad de dinero
que Ivy.

6 ¿Cuánto dinero obtiene Deja por reciclar latas?
Muestra tu trabajo.

Solución ....

7 Ivy tiene 6 billetes. ¿Qué billetes podría tener Ivy?

Refina Resolver problemas verbales de dinero

Completa el Ejemplo siguiente. Luego resuelve los problemas 1 a 3.

EJEMPLO

Paige tiene dos monedas de 25¢, una moneda de 10¢ y una moneda de 5¢. Andre tiene sesenta centavos. ¿Quién tiene más dinero? ¿Cuánto más?

Podrías sumar las monedas.

Paige:

$$25 + 25 + 10 + 5 = 65$$

Andre: 60 centavos

$$65 - 60 = 5$$

Solución ....

APLÍCALO

1 Anthony tiene $25 en billetes. Nombra dos maneras en que podría tener $25. Muestra tu trabajo.

> Piensa en maneras en que podrías usar billetes de $1, $5, $10 y $20 para sumar $25.

Solución ....

....

2 Un bolígrafo cuesta 35¢. Logan paga con dos monedas de 25¢. ¿Qué monedas le podrían dar de cambio a Logan? Muestra tu trabajo.

¿Cuánto valen dos monedas de 25¢? ¿Cómo calculas el cambio que le deberían dar a Logan?

Solución ....

3 Johanna tiene estas monedas en su bolsillo.

Prueba contar de cinco en cinco para hallar el total.

¿Cuánto valen las monedas?

Ⓐ 8¢

Ⓑ 40¢

Ⓒ 80¢

Ⓓ $2

Mary eligió Ⓒ como respuesta correcta. ¿Cómo obtuvo Mary su respuesta?

Practica resolver problemas verbales de dinero

1 Di si cada enunciado es *Verdadero* o *Falso*.

	Verdadero	**Falso**
Un billete de $10 tiene el mismo valor que dos billetes de $5.	Ⓐ	Ⓑ
Un billete de $20 tiene el mismo valor que dos billetes de $10.	Ⓒ	Ⓓ
Tres billetes de $5 tienen el mismo valor que dos billetes de $10.	Ⓔ	Ⓕ
Cuatro billetes de $5 tienen el mismo valor que dos billetes de $10.	Ⓖ	Ⓗ

¿Puedes contar de 5 en 5 o de 10 en 10 para ayudarte a pensar en cada enunciado?

2 Dave tiene $45. Mac tiene tres billetes de $5 y dos de $10. ¿Quién tiene más dinero? ¿Cuánto más? Muestra tu trabajo.

¿Cómo puedes hallar el valor total de los billetes de Mac?

Solución ....

3 ¿Cuál es el valor total de estas monedas?

Puedes hallar primero el valor de cada tipo de moneda para resolver el problema.

Solución .... ¢

4 Un lápiz cuesta 39¢. Zack usa dos monedas de 25¢ para pagarlo. ¿Qué conjuntos de monedas le podrían dar de cambio?

¿Cuál debería ser el cambio de Zack?

Ⓐ

Ⓑ

Ⓒ

Ⓓ

5 Marcy tiene 27¢. ¿Cuáles podrían ser las monedas de Marcy?

Puedes tocar cada moneda a medida que las cuentas para ayudarte a llevar la cuenta.

Ⓐ

Ⓑ

Ⓒ

Ⓓ

Leah eligió Ⓒ como respuesta correcta. ¿Cómo obtuvo Leah su respuesta?

Refina Resolver problemas verbales de dinero

APLÍCALO

Resuelve los problemas.

1. Un marcapáginas cuesta 68¢. Haley usa 3 monedas de 25¢ para pagarlo. ¿Qué monedas le deberían dar de cambio?

Ⓐ

Ⓑ

Ⓒ

Ⓓ

2. Di si cada enunciado es *Verdadero* o *Falso*.

	Verdadero	Falso
Una moneda de 10¢ tiene el mismo valor que diez monedas de 1¢.	Ⓐ	Ⓑ
Una moneda de 5¢ tiene el mismo valor que dos monedas de 10¢.	Ⓒ	Ⓓ
Una moneda de 25¢ tiene el mismo valor que cinco monedas de 5¢.	Ⓔ	Ⓕ
Una moneda de 25¢ tiene el mismo valor que dos monedas de 10¢ y una moneda de 5¢.	Ⓖ	Ⓗ

3 ¿Qué conjuntos de monedas valen 31¢?

Ⓐ

Ⓑ

Ⓒ

Ⓓ

4 Tess tiene más de tres billetes que tienen un valor total de $30. ¿Qué billetes podría tener Tess?
Muestra tu trabajo.

Solución ....

5 Xavier responde el problema 4. Dice que Tess podría tener cuatro billetes de $10. ¿Estás de acuerdo? Explica por qué sí o por qué no.

6 DIARIO DE MATEMÁTICAS

Maria tiene $1. Gasta 47¢. ¿Cuánto le queda? Usa dibujos, palabras o números para mostrar tu razonamiento.

☑ COMPRUEBA TU PROGRESO Vuelve al comienzo de la Unidad 2 y mira qué destrezas puedes marcar.

Di y escribe la hora

Estimada familia:

Esta semana su niño está aprendiendo a decir la hora a los cinco minutos más cercanos.

Por ejemplo, está aprendiendo a decir qué hora muestra este reloj.

La manecilla corta muestra la hora. Se llama manecilla de la hora. Está apuntando entre las 5 y las 6. Son las 5 horas.

La manecilla larga muestra los minutos. Se llama minutero. Está apuntando a las 7. **Cuente** 7 veces de cinco en cinco para hallar cuántos minutos son después de las 5 en punto.

> 5, 10, 15, 20, 25, 30, 35

La hora en el reloj es 5:35, que se puede leer como "cinco y treintaicinco". También se puede decir que son 35 minutos después de las 5 en punto.

Los relojes digitales muestran la hora usando solo números en lugar de manecillas. Un reloj digital usualmente muestra si la hora es AM O PM.

Invite a su niño a compartir lo que sabe sobre decir la hora haciendo juntos la siguiente actividad.

ACTIVIDAD DECIR LA HORA

Haga la siguiente actividad con su niño para explorar cómo decir la hora.

Materiales dos crayones de diferente longitud

Ayude a su niño a aprender cómo mostrar la hora en un reloj.

- Pida a los miembros de la familia que se turnen para nombrar su momento favorito del día, como el desayuno, la hora de acostarse o cuando llegan a casa.

- Pida a su niño que coloque los crayones como si fueran las manecillas del reloj de abajo para mostrar la hora del día en la que sucede cada actividad. Ayúdelo diciendo la hora: por ejemplo, "Llego del trabajo a las 5:20" o "Cenamos a las 6:30".

- Luego coloque las manecillas del reloj para mostrar otras horas en el reloj y pídale a su niño que diga la hora y describa algo que sucede a esa hora.

Explora Decir y escribir la hora

Ya sabes cómo decir la hora a la hora y a la media hora. Usa lo que sabes para tratar de resolver el siguiente problema.

En la tarde, Lucy comienza su lección de piano a la hora que se muestra en el reloj.

¿Qué hora muestra el reloj?
Explica cómo lo sabes.

PRUÉBALO

Herramientas matemáticas

• reloj de juguete con manecillas
• esfera de reloj de papel

CONVERSA CON UN COMPAÑERO

Pregúntale: ¿Cómo empezaste a resolver el problema?

Dile: Al principio, pensé que . . .

CONÉCTALO

1 REPASA

¿A qué hora comienza Lucy su lección de piano? .... : .... a. m. or p. m.

2 SIGUE ADELANTE

La manecilla corta en el reloj se llama horario.

La manecilla larga se llama minutero.

Le toma 1 hora al **horario** pasar de un número al siguiente.

Le toma 5 minutos al **minutero** pasar de un número al siguiente.

a. m. significa "durante la mañana" y **p. m.** significa "desde el mediodía hasta la medianoche".

a. ¿Por qué número acaba de pasar el horario? ....

b. ¿Qué número señala el minutero? ....

c. **Cuenta salteado** de cinco en cinco para hallar el número de minutos.

5, 10, ..., ..., ..., ...

3 REFLEXIONA

¿Por qué puedes contar salteado de cinco en cinco para mostrar que hay 60 minutos en una hora?

....

....

Prepárate para decir y escribir la hora

1 Piensa en lo que sabes acerca de decir la hora. Llena cada recuadro. Usa palabras, números y dibujos. Muestra tantas ideas como puedas.

Palabra	En mis propias palabras	Ejemplo
hora		
minuto		
horario		
minutero		
a. m.		
p. m.		

2 Silvia dice que a las 3:45, el minutero de un reloj señalará el 9. ¿Tiene razón? Explica.

3 Resuelve el problema. Muestra tu trabajo.

Daren comienza su lección de violín a la hora que se muestra en el reloj. ¿Qué hora muestra el reloj? Explica cómo lo sabes.

Solución ....

4 Comprueba tu respuesta. Muestra tu trabajo.

Desarrolla Decir y escribir la hora

Lee el siguiente problema y trata de resolverlo.

> **Evan comienza a desayunar a la hora que se muestra en el reloj.**
>
> **¿A qué hora comienza a desayunar?**

PRUÉBALO

Herramientas matemáticas

- reloj de juguete con manecillas
- esfera del reloj de papel

CONVERSA CON UN COMPAÑERO

Pregúntale: ¿Por qué elegiste esa estrategia?

Dile: Yo ya sabía que ... así que ...

Explora diferentes maneras de entender cómo decir y escribir la hora.

> **Evan comienza a desayunar a la hora que se muestra en el reloj.**
>
> **¿A qué hora comienza a desayunar?**

HAZ UN DIBUJO

Puedes usar el reloj para hallar la hora y los minutos.

El horario está entre el **7** y el **8**.

El minutero señala el **4**.

Cuenta salteado de cinco en cinco **4** veces para hallar los minutos.

HAZ UN DIBUJO

Puedes usar una hora que ya sepas para hallar la hora y los minutos.

El reloj muestra **7:15**, que se lee "siete y quince".

Puedes sumar **5 más** para hallar los minutos.

$$15 + 5 = ?$$

CONÉCTALO

Ahora vas a usar el problema de la página anterior para ayudarte a entender cómo decir y escribir la hora.

1 ¿A qué hora comienza Evan a desayunar? ____ : ____ a. m. or p. m.

2 El reloj muestra la hora a la que Evan termina de desayunar. Di cómo sabes cuál es la hora.

3 ¿Cómo puedes contar salteado para hallar el número de minutos en el reloj cuando Evan termina de desayunar?

4 ¿A qué hora termina Evan de desayunar? Muestra la hora en el reloj digital. Encierra en un círculo a. m. o p. m.

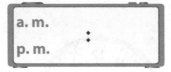

a. m.

p. m.

5 REFLEXIONA

Repasa **Pruébalo**, las estrategias de tus compañeros y los **Haz un dibujo**. ¿Qué modelos o estrategias prefieres para decir y escribir la hora? Explica.

APLÍCALO

Usa lo que acabas de aprender para resolver estos problemas.

6 El reloj de arriba muestra cuándo Mark se va a dormir. Escribe la misma hora en el reloj digital. ¿A qué hora se va Mark a dormir? Encierra en un círculo a. m. o p. m. Muestra tu trabajo.

a. m.

p. m.

Solución ....

7 Kate llega a su casa de la escuela a la hora que se muestra en el reloj. Encierra en un círculo a. m. o p. m.

a. m.
p. m. **3:10**

Muestra la misma hora dibujando las manecillas en este reloj.

8 Sasha almuerza a las 11:40 a. m. ¿Qué reloj muestra la hora a la que almuerza?

Ⓐ

Ⓑ

Ⓒ

Ⓓ

Practica decir y escribir la hora

**Estudia el Ejemplo, que muestra cómo decir y escribir la hora.
Luego resuelve los problemas 1 a 6.**

EJEMPLO

El reloj muestra cuándo Lil
comienza a cenar. Muestra
la misma hora en el reloj digital.

El horario apenas pasa el 6; por lo tanto, son las 6.

El minutero señala el 4. Por lo tanto, cuenta salteado de
cinco en cinco 4 veces para hallar el número de minutos.

    5, 10, 15, 20

La hora es 06:20 p. m. Lee la hora diciendo "seis y veinte".

p. m. 6:20

---

1 Gino va de picnic en la tarde.
El primer reloj muestra cuándo
comienza el picnic. Muestra cómo
se vería la hora en un reloj digital.
Encierra en un círculo a. m. o p. m.

a. m.   :
p. m.

2 El equipo de futbol de Nima juega
los domingos en la mañana. Su
primer juego comienza a
la hora que se muestra en el
reloj digital. Dibuja la misma hora
en el otro reloj.

a. m. **9:45**

3 Bryce tiene una lección de piano después de la escuela. Su lección termina a la hora que se muestra en el reloj digital. Dibuja la misma hora en el otro reloj.

4 El primer reloj muestra cuándo Nadya se lava los dientes antes de ir a la escuela. Muestra cómo se vería la hora en un reloj digital. Encierra en un círculo a. m. o p. m.

5 El primer reloj muestra cuándo tiene recreo la clase del maestro Wade. Muestra cómo se vería la hora en un reloj digital. Encierra en un círculo a. m. o p. m.

6 Eric llamó a su tía a las 10:15 de la mañana. Dibuja las manecillas en el reloj para mostrar las 10:15. Luego escribe la hora en el reloj digital. Encierra en un círculo a. m. o p. m.

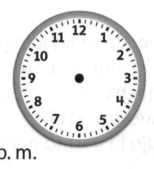

Refina Decir y escribir la hora

Completa el Ejemplo siguiente. Luego resuelve los problemas 1 a 3.

EJEMPLO

En la tarde, Dina sale de paseo en su bicicleta a la hora que se muestra en el reloj. ¿Qué hora muestra el reloj?

Puedes contar salteado.

El horario pasó el 2

pero todavía no pasa el 3. Por lo tanto, son las 2.

El minutero está en el 9; por lo tanto, cuenta salteado de cinco en cinco 9 veces para hallar el número de minutos.

5, 10, 15, 20, 25, 30, 35, 40, 45

Solución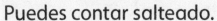

APLÍCALO

1 Caleb juega básquetbol los sábados en la mañana. Su juego comienza a la hora que se muestra en el reloj.

¿Qué manecilla muestra los minutos después de la hora?

Muestra la misma hora en el reloj digital. Encierra en un círculo a. m. o p. m.

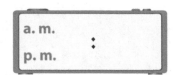

a. m.

p. m.

＿＿：＿＿

2 Sophia tiene una reunión a la hora que se muestra en el reloj digital de abajo. Muestra la misma hora en el otro reloj.

¿Entre qué dos números estará el horario? ¿Qué número señalará el minutero?

3 Jane llega a su casa de la escuela a la hora que se muestra en el reloj. ¿A qué hora llega Jane a casa?

¿Qué manecilla dice la hora?

Ⓐ 5:15

Ⓑ 3:05

Ⓒ 3:25

Ⓓ 4:25

Emily eligió Ⓑ como respuesta correcta. ¿Cómo obtuvo Emily su respuesta?

Practica decir y escribir la hora

1 Luis llega a su casa de la escuela a las 3:25. ¿Qué relojes muestran la hora a la que Luis llega a su casa?

¿Entre qué dos números estará el horario?

Ⓐ

Ⓑ
p. m.

Ⓒ

Ⓓ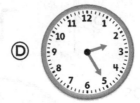

Ⓔ

2 La clase de arte de Justin termina a las 2:40 de la tarde. Dibuja las manecillas en el reloj para mostrar las 2:40. Luego escribe la hora en el reloj digital. Encierra en un círculo a. m. o p. m.

¿Cuál es más largo, el horario o el minutero?

a. m.
:
p. m.

3 ¿Qué número señala el minutero cuando el reloj muestra las 5:10?

¿Puedes hacer un dibujo para ayudarte?

Ⓐ 10

Ⓑ 5

Ⓒ 3

Ⓓ 2

4 La mamá de Lita la despierta para que se prepare para la escuela a la hora que se muestra en el reloj. ¿Qué reloj digital muestra la hora a la que su mamá la despierta?

¿Dónde señala el horario cuando es casi la siguiente hora?

Ⓐ  p.m. 11:35

Ⓑ  a.m. 6:55

Ⓒ  a.m. 7:55

Ⓓ  7:11 p.m.

5 Rory tiene clases de danza los sábados a la hora que se muestra en el reloj. ¿A qué hora tiene Rory clases de danza?

¿Qué manecilla dice los minutos?

Ⓐ 3:09   Ⓑ 3:45

Ⓒ 9:15   Ⓓ 9:30

Mike eligió Ⓑ como respuesta correcta. ¿Cómo obtuvo Mike su respuesta?

Refina Decir y escribir la hora

APLÍCALO

Resuelve los problemas.

1 Elsa va a su práctica de natación después de la escuela. Termina a las 5:45. ¿Qué reloj muestra la hora a la que termina Elsa?

Ⓐ  a. m. **4:55**

Ⓑ

Ⓒ

Ⓓ p. m. **5:45**

Ⓔ

2 ¿Dónde señala el horario cuando un reloj muestra las 10:30?

Ⓐ el 6   Ⓑ entre el 9 y el 10

Ⓒ el 10   Ⓓ entre el 10 y el 11

3 El minutero en un reloj señala el 10. ¿Qué hora podría ser?

Ⓐ 10:10   Ⓑ 4:50

Ⓒ 10:30   Ⓓ 8:50

Ⓔ 10:20

4 Dylan termina su práctica de futbol a la hora que se muestra en el reloj de la derecha.

¿Cuál de los relojes de abajo muestra la hora a la que Dylan termina su práctica de futbol?

 a. m. **4:01**

Ⓐ

 p. m. **4:05**

Ⓑ

 a. m. **1:20**

Ⓒ

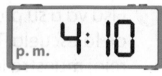 p. m. **4:10**

Ⓓ

5 Después de la escuela, Robin lee hasta las 7:35. Dibuja las manecillas en el reloj para mostrar esa hora. Luego escribe la misma hora en el reloj digital. Encierra en un círculo a. m. o p. m.

a. m.

p. m.

6 Cuando Jane llega a casa, el horario apenas pasa el 6 y el minutero señala el 5. ¿A qué hora llega Jane a su casa? Puedes usar el dibujo del reloj para ayudarte a responder.

....

7 DIARIO DE MATEMÁTICAS

Al reloj de la derecha le falta el minutero. Son las 6:05 o las 6:55. ¿Qué hora es la correcta? Explica cómo el horario puede ayudarte a saber la respuesta.

☑ COMPRUEBA TU PROGRESO Vuelve al comienzo de la Unidad 2 y mira qué destrezas puedes marcar.

En esta unidad aprendiste a . . .

Destreza	Lección
Sumar números de dos dígitos.	6, 8
Sumar decenas y sumar unidades.	6, 7, 8
Reagrupar unidades como una decena y descomponer una decena.	6, 7
Restar números de dos dígitos.	7, 8
Resolver problemas verbales de un paso y de dos pasos al sumar o restar números de dos dígitos.	9
Resolver problemas verbales de dinero.	10
Decir y escribir la hora a los 5 minutos más cercanos.	11

Piensa en lo que has aprendido.

Usa palabras, números y dibujos.

1 Un tema que podría usar todos los días es ....
porque . . .

2 Me gustaría aprender más acerca de cómo . . .

3 Algo que podría hacer mejor es . . .

Trabaja con números de dos dígitos, la hora y dinero

Estudia un problema y su solución

EPM 1   Entender problemas y perseverar en resolverlos.

Recorridos por el zoológico

58 personas se inscriben para hacer un recorrido hoy por el zoológico. Alex debe formar grupos para el recorrido. Mira las notas.

Notas para el recorrido por el zoológico

- Debe haber al menos 12 personas en los grupos.
- No puede haber más de 20 personas en los grupos.
- Puede haber hasta 4 grupos en un día.

Ayuda a Alex a decidir cómo poner en grupos a las 58 personas.

Muestra cómo la solución de Yoop concuerda con la lista de chequeo.

✓ LISTA DE CHEQUEO PARA LA SOLUCIÓN DE PROBLEMAS

☐ Di lo que se sabe.

☐ Di lo que pide el problema.

☐ Muestra todo tu trabajo.

☐ Muestra que la solución tiene sentido.

a. **Haz un círculo** alrededor de lo que se sabe.

b. **Subraya** las cosas que hace falta averiguar.

c. **Encierra en un cuadro** lo que se hace para resolver el problema.

d. **Pon una marca** ✓ junto a la parte que muestra que la solución tiene sentido.

LA SOLUCIÓN DE YOOP

- **Sé** que hay 58 personas para formar grupos. Puedo formar hasta 4 grupos que tengan entre 12 y 20 personas.

- **Debo hallar** el número de grupos que hay que formar y cuántas personas poner en cada grupo.

- **Puedo comenzar** con el menor número, que es 12 personas en un grupo.

  4 grupos: $12 + 12 + 12 + 12 = 48$

- **Puedo restar** 48 del número total de personas.

  $58 - 48 = 10$

- **Ahora puedo hallar** cuatro números que sumen 10.

  $3 + 3 + 2 + 2 = 10$

  Agrego 3 personas a dos grupos y agrego 2 personas a dos grupos.

  $12 + 3 = 15$

  $12 + 2 = 14$

- **Formo estos grupos:**

  15 personas

  15 personas

  14 personas

  14 personas

- **Sumo para comprobar:**

  $15 + 15 + 14 = 44$

  $44 + 14 = 58$

Hola, soy Yoop. Así fue como resolví este problema.

Decidí formar 4 grupos de manera que los grupos tengan menos personas.

Por lo tanto, hay 10 personas que aún hay que colocar en un grupo.

Prueba otro método

Hay muchas maneras de resolver problemas. Piensa en cómo podrías resolver el problema de los "Recorridos por el zoológico" de una manera distinta.

Recorridos por el zoológico

58 personas se inscriben para hacer un recorrido hoy por el zoológico. Alex debe formar grupos para el recorrido. Mira las notas.

Notas para el recorrido por el zoológico

- Debe haber al menos 12 personas en los grupos.
- No puede haber más de 20 personas en los grupos.
- Puede haber hasta 4 grupos en un día.

Ayuda a Alex a decidir cómo poner en grupos a las 58 personas.

PLANEA

Contesta esta pregunta para empezar a pensar en un plan.

¿Qué podrías hacer si quieres formar grupos con más personas? Explica tu razonamiento.

RESUELVE

Halla una solución distinta al problema de los "Recorridos por el zoológico". Muestra todo tu trabajo en una hoja de papel aparte.

Tal vez quieras usar las sugerencias de abajo para empezar.

> ● SUGERENCIAS PARA RESOLVER PROBLEMAS ◄
>
> - **Preguntas**
>
>   - ¿Cuáles son los distintos números de personas que puedo colocar en un grupo?
>
>   - ¿Cuál es el menor número de grupos que puedo formar?
>
> - **Banco de palabras**
>
> | | | |
> |---|---|---|
> | sumar | mayor cantidad | total |
> | restar | al menos | diferencia |
>
> - **Oraciones modelo**
>
>   - Puedo usar _____
>
>   - La mayor cantidad de personas _____
>
>   - El número total _____

✓ LISTA DE CHEQUEO PARA LA SOLUCIÓN DE PROBLEMAS

Asegúrate de . . .
- ☐ decir lo que se sabe.
- ☐ decir lo que pide el problema.
- ☐ mostrar todo tu trabajo.
- ☐ mostrar que la solución tiene sentido.

REFLEXIONA

Usa las prácticas matemáticas Comenta la siguiente pregunta con un compañero.

- **Muestra y explica** ¿Por qué tu solución tiene sentido? Explícale a tu compañero.

Comenta modelos y estrategias

**Resuelve el problema en una hoja de papel aparte.
Hay distintas maneras de resolverlo.**

Jardín de mariposas

Alex hace un jardín de mariposas. Intenta decidir qué semillas de flores comprar. Estas son sus notas.

Notas para el jardín de mariposas

- Comprar 3 o 4 libras de semillas.
- Gastar hasta $100 en semillas.

Estas son las semillas que puede elegir.

- Mezcla de mariposas: $25 por 1 libra
- Mezcla de flores silvestres: $28 por 1 libra
- Mezcla de florecimiento temprano: $24 por 1 libra
- Mezcla de florecimiento tardío: $22 por 1 libra

¿Qué semillas debería comprar Alex? ¿Cuál es el costo total?
Si sobra dinero, di cuánto sobra.

PLANEA Y RESUELVE

Halla una solución al problema del "Jardín de mariposas".

• Muestra qué tipos de semillas y cuántos paquetes comprar.

• Halla el costo total y muestra si sobra dinero.

Tal vez quieras usar las sugerencias de abajo para empezar.

SUGERENCIAS PARA RESOLVER PROBLEMAS

- **Preguntas**

  • ¿Cuántos paquetes de semilla debo comprar?

  • ¿Quiero comprar una mezcla de distintas semillas?

- **Banco de palabras**

sumar	total	sobrante
restar	diferencia	costo

- **Oraciones modelo**

  • El precio _____

  • Puedo gastar _____

  • El costo total _____

☑ LISTA DE CHEQUEO PARA LA SOLUCIÓN DE PROBLEMAS

Asegúrate de . . .
- ☐ decir lo que se sabe.
- ☐ decir lo que pide el problema.
- ☐ mostrar todo tu trabajo.
- ☐ mostrar que la solución tiene sentido.

REFLEXIONA

Usa las prácticas matemáticas Comenta la siguiente pregunta con un compañero.

• **Construye un argumento** ¿Cómo puedes explicar la razón por la que elegiste esas semillas?

Persevera por tu cuenta

Resuelve cada problema en una hoja de papel aparte.

Constructores de pajareras

El zoológico le da dinero a Constructores de pajareras, quienes hacen casas para pájaros en peligro de extinción. El zoológico recolecta dinero en el espectáculo de pájaros. Los asistentes al espectáculo pueden levantar un billete de $1, uno de $5 o uno de $10. Los pájaros vuelan por el público y recolectan el dinero.

Hacer una pajarera cuesta $25. ¿De qué dos maneras se pueden tener $25 con estos billetes?

RESUELVE

Muestra dos maneras de tener $25 con estos billetes.

• Di cuántos de cada billete usar.

• Muestra por qué tu respuesta tiene sentido.

REFLEXIONA

Usa las prácticas matemáticas Comenta la siguiente pregunta con un compañero.

• **Elige una herramienta** ¿Qué herramientas usaste para resolver este problema?

Espectáculo de leones marinos

Alex ayuda al zoológico a planear un nuevo espectáculo de leones marinos. Estas son sus notas.

- Hay 3 espectáculos cada día.
- Todos los espectáculos comienzan 10 minutos después de una hora.
- Un espectáculo comienza en la mañana.
- Un espectáculo comienza después de las 2:00 pero antes de las 2:30.
- Un espectáculo comienza después de las 2:30 pero antes de las 3:30

¿A qué hora debe comenzar cada espectáculo?

Hora del espectáculo 1: _____

Hora del espectáculo 2: _____

Hora del espectáculo 3: _____

RESUELVE

Ayuda a Alex a decidir a qué hora comienza cada espectáculo.

- Escribe las horas de inicio. Muestra las horas en los relojes.

- Explica por qué tu solución cumple con todos los puntos de las notas.

REFLEXIONA

Usa las prácticas matemáticas Comenta la siguiente pregunta con un compañero.

- **Entiende los problemas** ¿Cómo decidiste a qué hora comienzan los espectáculos?

Repaso de la unidad

1 Halla 56 + 27.

Ⓐ 73

Ⓑ 77

Ⓒ 83

Ⓓ 87

2 Bill y Maya leen el mismo libro. Ayer Maya leyó 16 páginas más que Bill. Maya leyó 43 páginas ayer.

Parte A

¿Cuántas páginas leyó Bill ayer? Muestra tu trabajo.

Bill leyó ………… páginas ayer.

Parte B

Hoy Bill lee 38 páginas. ¿Cuántas páginas más leyó Bill hoy que ayer? Muestra tu trabajo.

Bill leyó ………… páginas más hoy.

3 Joshua cuenta 25 cabras en una manada y 18 cerdos en un corral. ¿Qué ecuaciones puede usar Joshua para hallar cuántas cabras más que cerdos hay? Elige todas las respuestas correctas.

Ⓐ $25 - 18 = ?$

Ⓑ $25 + 18 = ?$

Ⓒ $? - 25 = 18$

Ⓓ $18 + ? = 25$

Ⓔ $25 - ? = 18$

4 Samantha tiene 67 centavos. Eric tiene una moneda de 25¢, dos monedas de 10¢ y tres monedas de 1¢. ¿Quién tiene más dinero? ¿Cuánto más? Muestra tu trabajo.

Solución ....

5 Greta llega a su casa de la práctica a la hora que se muestra en el reloj. ¿A qué hora llega Greta a su casa de la práctica?

Escribe tu respuesta en los espacios en blanco.

.... : ....

Prueba de rendimiento

Responde las preguntas. Muestra todo tu trabajo en una hoja de papel aparte.

Nicole hornea bizcochitos de chocolate y vainilla para una fiesta.

Algunos bizcochitos tienen glaseado. Los otros no tienen glaseado.

Usa las pistas para hallar cuántos de cada tipo de bizcochito hornea Nicole.

- Hay 34 bizcochitos de chocolate con glaseado.
- Hay 11 bizcochitos de vainilla sin glaseado.
- Hay 80 bizcochitos en total.
- Hay 26 bizcochitos menos de chocolate sin glaseado que con glaseado.

	Bizcochitos de chocolate	Bizcochitos de vainilla	Total
Con glaseado			
Sin glaseado			
Total			

Copia y completa la tabla en una hoja de papel aparte. Explica por qué tu respuesta tiene sentido.

REFLEXIONA

Realiza modelos matemáticos Di cómo puedes usar una tabla para ayudarte a comprobar tu trabajo. Luego comprueba para asegurarte de que los números de tu tabla sean correctos.

Lista de chequeo

☐ ¿Usaste el valor posicional de manera correcta?

☐ ¿Comprobaste tus respuestas?

☐ ¿Explicaste tu respuesta con palabras y números?

Dibuja o escribe para dar un ejemplo de cada término. Luego dibuja o escribe para mostrar otras palabras de matemáticas de la unidad.

---

a. m. mañana, o la hora desde la medianoche hasta antes del mediodía.

Mi ejemplo

---

centavo (¢) la menor unidad monetaria de Estados Unidos. Hay 100 centavos en 1 dólar.

Mi ejemplo

---

centenas grupos de 10 decenas.

Mi ejemplo

---

contar salteado no contar de uno en uno, sino de otra forma, como de dos en dos, de cinco en cinco, de diez en diez o de cien en cien.

Mi ejemplo

---

dólar ($) unidad monetaria de Estados Unidos. Hay 100 centavos en 1 dólar ($1).

Mi ejemplo

---

p. m. el horario desde el mediodía hasta antes de la medianoche.

---

reagrupar unir o separar unidades, decenas o centenas. Por ejemplo, 10 unidades pueden reagruparse como 1 decena o 1 centena puede reagruparse como 10 decenas.

Mi ejemplo

Mi palabra: _____

_____

_____

Mi ejemplo

Mi palabra: _____

_____

_____

Mi ejemplo

Mi palabra: _____

_____

_____

Mi ejemplo

Mi palabra: _____

_____

_____

Mi ejemplo

Mi palabra: _____

_____

_____

Mi ejemplo

Práctica acumulativa

Nombre: _____

Conjunto 1: Parejas de números para 10

Completa los espacios en blanco para que las ecuaciones sean verdaderas.

1 $7 +$ .... $= 10$ **2** $5 +$ .... $= 10$ **3** .... $+ 2 = 10$

4 $10 - 4 =$ ....   **5** $10 -$ .... $= 3$ **6** $10 -$ .... $= 1$

Conjunto 2: Suma y resta en problemas verbales

Completa los espacios en blanco para resolver los problemas.

1 Hay 2 gatos sentados en una roca. Llegan algunos más. Ahora hay 5 gatos en la roca. ¿Cuántos gatos más llegaron?

$2 +$ .... $= 5$

Llegaron .... gatos más.

2 Liam tenía algunas cuentas. Su amigo le dio 2 cuentas más. Ahora Liam tiene 9 cuentas. ¿Cuántas cuentas tenía Liam al principio?

.... $+ 2 =$ ....

Liam tenía .... cuentas al principio.

3 Kim tenía 8 crayones. Regaló algunos. Ahora tiene 3 crayones. ¿Cuántos regaló?

$8 -$ .... $= 3$

Kim regaló .... crayones.

4 Hay 9 lápices y 3 marcadores. ¿Cuántos lápices más hay?

$9 -$ .... $=$ ....

Hay .... lápices más.

Conjunto 3: Escribe ecuaciones verdaderas

Halla parejas con totales iguales. Completa las ecuaciones.

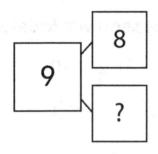   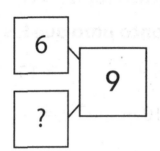

$9 = 8 +$ .... $6 +$ .... $= 9$

$8 +$ .... $=$ .... $+$ ....

Conjunto 4: Forma una decena para sumar o restar

Forma una decena para resolver los problemas.

1 $9 + 3 = ?$ **2** $8 + 7 = ?$

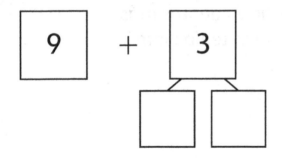

| 9 | + | 3 | | 8 | + | 7 |

$10 +$ .... $=$ $10 +$ .... $=$ ....

$9 + 3 =$ .... $8 + 7 =$ ....

3 $13 - 6 = ?$ **4** $15 - 9 = ?$ **5** $17 - 8 = ?$

$6 +$ .... $= 10$ $9 +$ .... $= 10$ $8 +$ .... $= 10$

$10 +$ .... $= 13$ $10 +$ .... $= 15$ $10 +$ .... $= 17$

$6 +$ .... $= 13$ $9 +$ .... $= 15$ $8 +$ .... $= 17$

Por lo tanto,   Por lo tanto,   Por lo tanto,

$13 - 6 =$ .... $15 - 9 =$ .... $17 - 8 =$ ....

Conjunto 5: Suma tres números

Completa los espacios en blanco para resolver los problemas.

1 Había 7 personas en una fiesta. Llegaron 4 más. Luego llegaron 7 personas más.

¿Cuántas personas hay en la fiesta ahora?

.... + ... + ... = ... personas

2 Emma tiene 4 cuentas azules, 2 cuentas rojas y 8 cuentas verdes.

¿Cuántas cuentas tiene Emma?

.... + ... + ... = ... cuentas

3 Halla $5 + 5 + 8$.

.... + ... $= 10$

$10 +$ .... $=$ .... $\qquad 5 + 5 + 8 =$ ....

Conjunto 6: Halla el número desconocido

Halla los números que faltan.

1 .... $+ 3 = 11$ **2** $9 +$ .... $= 13$ **3** $7 + 5 =$ ....

4 $15 - 8 =$ .... **5** .... $- 6 = 8$ **6** $16 - 7 =$ ....

Conjunto 7: Compara números

Escribe $<$, $>$ o $=$ en el círculo.

1 72 ◯ 72 **2** 50 ◯ 54 **3** 61 ◯ 64

4 39 ◯ 45 **5** 29 ◯ 28 **6** 65 ◯ 55

Conjunto 8: Suma y resta decenas

Completa los espacios en blanco.

1 Halla 20 + 70.

.... decenas + ... decenas = ... decenas

20 + 70 = ...

2 Halla 40 + ? = 60.

.... decenas + ... decenas = ... decenas

40 + ... = 60

3 Halla 80 − 30.

.... decenas − .... decenas = ... decenas

80 − 30 = ...

4 10 menos que 88 es ....

5 10 más que 32 es ....

6 10 más que 45 es ....

7 10 menos que 24 es ....

Conjunto 9: Compara la longitud

Completa los espacios en blanco.

1

La cinta .... es la más larga.

La cinta .... es la más corta.

2 Tina es más alta que Jamal. Zach es más bajo que Jamal.

Tina es .... que Zach.

Zach es .... que Tina.

Conjunto 1: Cuenta hacia delante para sumar

¿Qué número obtienes después de contar hacia delante:

1 1 más que 7? ....

2 3 más que 6? ....

3 3 más que 2? ....

4 2 más que 7? ....

5 2 más que 9? ....

6 3 más que 9? ....

Conjunto 2: Problemas verbales de dos pasos

Resuelve los problemas verbales. Muestra tu trabajo.

1 Hay 16 personas en un autobús. En la primera parada se bajan 9 personas y se suben 4 personas. ¿Cuántas personas hay en el autobús ahora?

2 Denise colocó 6 canicas azules y 7 canicas rojas en una bolsa. Luego colocó algunas canicas amarillas. Ahora hay 16 canicas en la bolsa. ¿Cuántas canicas amarillas colocó Denise en la bolsa?

3 Ricky infló 12 globos con helio. Luego, 4 de los globos se reventaron y 5 se fueron volando. ¿Cuántos globos le quedan a Ricky?

Conjunto 3: Usa la suma para restar

Completa los espacios en blanco en cada ecuación.

1 $15 - 9 =$? es lo mismo que .... $+$? $=$ ....

2 $12 - 8 =$? es lo mismo que .... $+$? $=$ ....

3 $13 - 9 =$? es lo mismo que .... $+$? $=$ ....

Conjunto 4: Forma una decena para restar

Completa los recuadros.

1 Forma una decena para hallar $17 - 9$.

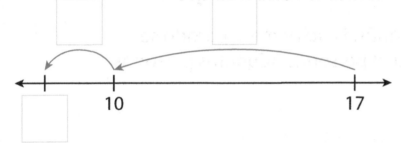

$17 - 9 =$ ☐

2 Forma una decena para hallar $14 - 8$.

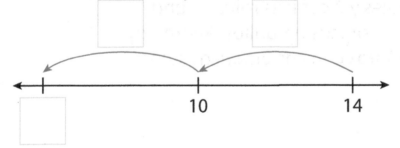

$14 - 8 =$ ☐

3 Forma una decena para hallar $11 - 7$.

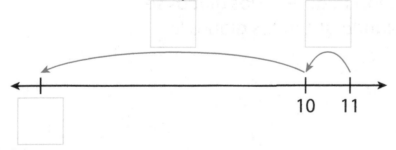

$11 - 7 =$ ☐

Conjunto 5: Problemas verbales de un paso

Resuelve los problemas verbales. Muestra tu trabajo con una ecuación.

1 Leon tenía 14 cromos. Dio algunos a su primo. Ahora a Leon le quedan 8 cromos. ¿Cuántos cromos dio Leon a su primo?

2 La señora Murphy tiene algunos pollos. Su hijo le trajo 5 pollos más. Ahora tiene 12. ¿Cuántos pollos tenía la señora Murphy al principio?

Conjunto 6: Familias de datos

Completa el enlace numérico y escribe ecuaciones para la familia de datos.

1

16
9	7

.... + ... = 16   16 − .... = ...

.... + ... = 16   16 − .... = ...

2

17
9	

.... + ... = 17   17 − .... = ...

.... + ... = 17   17 − .... = ...

3

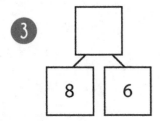

8	6

.... + ... = ... − .... = ...

.... + ... = ... − .... = ...

Conjunto 7: Dobles y dobles más 1

Resuelve los problemas.

1 $7 + 7 =$ ....

2 $9 + 9 =$ ....

3 $6 + 6 =$ ....

4 $5 + 6 =$ ....

5 $7 + 8 =$ ....

6 $8 + 9 =$ ....

Conjunto 8: Forma una decena para sumar

Completa los recuadros y los espacios en blanco.

1 Forma una decena para hallar $7 + 8$.

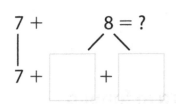
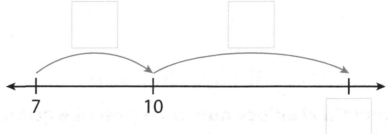

Por lo tanto, $7 + 8 =$ ....

2 Forma una decena para hallar $5 + 9$.

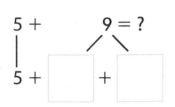
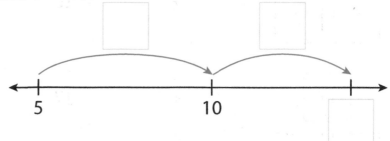

Por lo tanto, $5 + 9 =$ ....

3 Forma una decena para hallar $6 + 7$.

$6 +$ $7 = ?$

$6 +$ ☐ $+$ ☐

Por lo tanto, $6 + 7 =$ ....

Aa

a. m.
el tiempo que transcurre desde la
medianoche hasta el mediodía.

ángulo
una de las esquinas de una figura en la
que se unen dos lados.

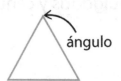

ángulo

arista
segmento de recta donde se encuentran
dos caras de una figura tridimensional.

arista

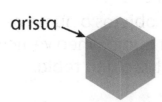

Cc

cara
superficie plana de una figura sólida.

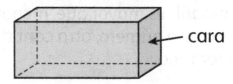

cara

centavo (¢)
la menor unidad monetaria de Estados
Unidos. Hay 100 centavos en 1 dólar.

1 centavo   1¢

centenas
grupos de 10 decenas.

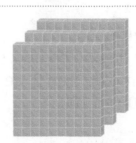

centímetro (cm)

unidad de longitud. Hay 100 centímetros en 1 metro.

Tu dedo meñique mide **1 centímetro** (cm) de ancho.

cinta de medir

tira flexible que se usa para medir y muestra pulgadas y centímetros.

columna

línea de objetos o números que va de arriba a abajo (línea vertical), como las de una matriz o una tabla.

comparar

determinar si un número, una cantidad o un tamaño es mayor que, menor que o igual a otro número, otra cantidad u otro tamaño.

$421 > 312$

contar hacia delante

comenzar desde un sumando y contar para hallar un total.

$8 + 3 = ?$
8, luego 9, 10, 11
$8 + 3 = 11$

contar salteado

no contar de uno en uno, sino de otra forma, como de 2 en 2, de 5 en 5, de 10 en 10, y de 100 en 100.

Se cuenta salteado de dos en dos:
2, 4, 6, 8

Ejemplo

cuadrado
cuadrilátero que tiene 4 esquinas
cuadradas y 4 lados de igual longitud.

cuadrilátero
figura bidimensional cerrada que tiene
exactamente 4 lados y 4 ángulos.

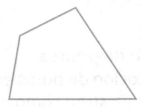

cuartos
partes que se forman cuando se divide un
entero en cuatro partes iguales.

cuartos

4 partes iguales

cubo
figura sólida que tiene 6 caras cuadradas y
todos los lados de igual longitud.

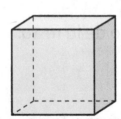

Dd

datos
conjunto de información reunida.

Juguetes favoritos

Ejemplo

decenas
grupos de 10 unidades.

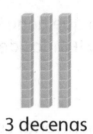

3 decenas

diagrama de puntos
representación de datos en la cual los datos se muestran como marcas sobre una recta numérica.

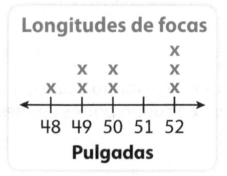

diferencia
el resultado de la resta.

$$9 - 3 = 6$$

dígito
símbolo que se usa para escribir números.

Los dígitos son 0, 1, 2, 3, 4, 5, 6, 7, 8 y 9.

dólar
unidad monetaria de Estados Unidos.
Hay 100 centavos en 1 dólar ($1).

Ee

ecuación
enunciado matemático en el que se usa un signo de igual (=) para mostrar que dos cosas tienen el mismo valor.

$$25 - 15 = 10$$

Ejemplo

estimación
suposición aproximada que se hace usando el razonamiento matemático.

$28 + 21 = ?$
$30 + 20 = 50$
50 es una estimación de la suma.

estimar / hacer una estimación
hacer una suposición aproximada usando el razonamiento matemático.

$28 + 21$ es aproximadamente 50.

Ff

familia de datos
grupo de ecuaciones relacionadas que tienen los mismos números ordenados de distinta manera y dos símbolos de operaciones diferentes. Una familia de datos puede mostrar la relación que existe entre la suma y la resta.

$7 - 3 = 4$

$7 - 4 = 3$

$3 + 4 = 7$

$4 + 3 = 7$

fila
línea horizontal de objetos o números, tal como las que aparecen en una matriz o una tabla.

forma desarrollada
manera de escribir un número para mostrar el valor posicional de cada dígito.

$249 = 200 + 40 + 9$

Ejemplo

Gg

gráfica de barras
representación de datos en la cual se usan barras para mostrar el número de cosas de cada categoría.

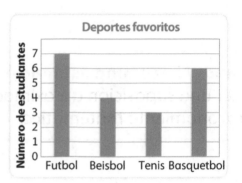

Hh

hexágono
figura bidimensional cerrada que tiene exactamente 6 lados rectos y 6 ángulos.

hora (h)
unidad de tiempo. Hay 60 minutos en 1 hora.

$60 \text{ minutos} = 1 \text{ hora}$

horario
la manecilla más corta de un reloj. Muestra las horas.

Ii

igual
que tiene el mismo valor, el mismo tamaño o la misma cantidad.

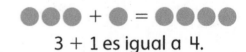

3 + 1 es igual a 4.

Ejemplo

Ll

lado
segmento de recta que forma parte de una figura bidimensional.

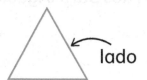

longitud
medida que indica la distancia de un punto a otro, o lo largo que es un objeto.

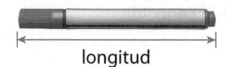

Mm

más alto
que tiene una altura mayor que la de otro objeto.

más corto
que tiene una longitud menor que la de otro objeto.

más largo
que tiene una longitud mayor que la de otro objeto.

matriz
conjunto de objetos agrupados en filas y columnas iguales.

Ejemplo

medios
partes que se forman cuando se divide un
entero en dos partes iguales.

2 partes iguales

medir
determinar la longitud, la altura o el peso
de un objeto comparándolo con una
unidad conocida.

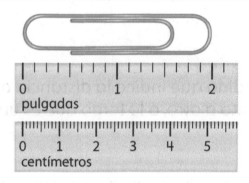

metro (m)
unidad de longitud. Hay 100 centímetros
en 1 metro.

100 centímetros = 1 metro

minutero
la manecilla más larga de un reloj. Muestra
los minutos.

minutero

minuto (min)
unidad de tiempo. Hay 60 minutos en
1 hora.

60 minutos = 1 hora

Nn

número desconocido
número que falta o que no se conoce en
una ecuación, que a veces se representa
con una caja o un símbolo.

$18 - ? = 9$

↑

número desconocido

Ejemplo

número impar
número entero que siempre tiene el dígito 1, 3, 5, 7 o 9 en la posición de las unidades. Un número impar de objetos no puede agruparse en parejas o en dos grupos iguales sin sobrantes.

21, 23, 25, 27 y 29 son números impares.

número par
número entero que siempre tiene 0, 2, 4, 6 u 8 en la posición de las unidades. Un número par de objetos puede agruparse en parejas o en dos grupos iguales sin sobrantes.

20, 22, 24, 26 y 28 son números pares.

Pp

pentágono
figura bidimensional cerrada que tiene exactamente 5 lados y 5 ángulos.

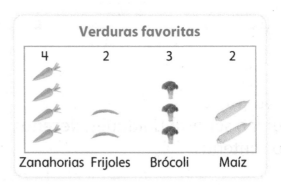

pictografía
representación de datos por medio de dibujos.

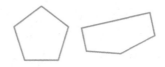

pie
unidad de longitud. Hay 12 pulgadas en 1 pie.

12 pulgadas = 1 pie

Ejemplo

p. m.
tiempo desde el mediodía hasta la medianoche.

propiedad asociativa de la suma
cambiar la agrupación de tres o más sumandos no cambia el total.

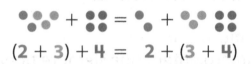

$(2 + 3) + 4 = 2 + (3 + 4)$

propiedad conmutativa de la suma
cambiar el orden de los sumandos no cambia el total.

$3 + 4 = 4 + 3$

pulgada (pulg.)
unidad de longitud del sistema usual. Hay 12 pulgadas en 1 pie.

Una moneda de 25¢ mide aproximadamente
1 pulgada (pulg.) de ancho.

Rr

reagrupar
unir o separar unidades, decenas o centenas.

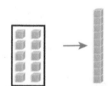

Se reagrupan 10 unidades como 1 decena

Ejemplo

recta numérica
línea recta que tiene marcas separadas por espacios iguales; las marcas muestran números.

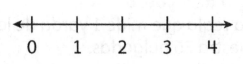

recta numérica vacía
recta numérica que solo muestra los números que son importantes para el problema.

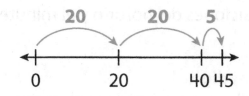

rectángulo
cuadrilátero con 4 esquinas cuadradas. Los lados opuestos de un rectángulo tienen la misma longitud.

regla
vara de medir que tiene marcas que muestran pulgadas y centímetros. Muestra 12 pulgadas y 30 centímetros.

La regla que se muestra no es del tamaño real.

regla de 1 metro
regla que mide 1 metro de longitud y muestra 100 centímetros.

Ejemplo

regla de 1 yarda
una regla que mide 1 yarda de longitud y
muestra 36 pulgadas.

reloj analógico
reloj que muestra la hora con distintas
posiciones del horario y el minutero.

horario  minutero

reloj digital
reloj que usa dígitos para mostrar la hora.

restar
quitar, separar o comparar para hallar
la diferencia.

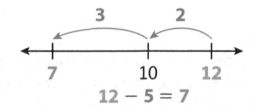

$$12 - 5 = 7$$

rombo
cuadrilátero cuyos lados tienen todos la
misma longitud.

Ss

segundo (s)
unidad de tiempo. Hay 60 segundos en
1 minuto.

60 segundos = 1 minuto

signo de igual (=)
símbolo que significa *tiene el mismo
valor que.*

$$12 + 4 = 16$$

Ejemplo

símbolo de mayor que (>) símbolo que se usa para comparar dos números cuando el primero es mayor que el segundo.	$421 > 312$
símbolo de menor que (<) símbolo que se usa para comparar dos números cuando el primero es menor que el segundo.	$321 < 421$
suma el resultado de sumar dos o más números.	$34 + 25 = 59$
sumando número que se suma.	$4 + 7 = 11$ sumandos
sumar combinar dos o más cantidades, hallar el total de dos o más números, o hallar cuántos hay en total.	$27 + 15 = 42$

Tt

tercios
partes que se forman cuando se divide un entero en tres partes iguales.

3 partes iguales

trapecio
cuadrilátero que tiene exactamente un par de lados paralelos.

Ejemplo

triángulo
figura bidimensional cerrada con
exactamente 3 lados y 3 ángulos.

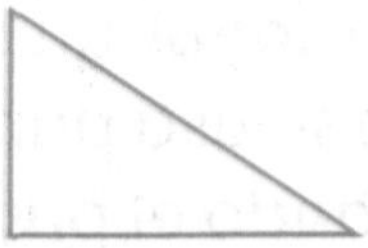

Uu

un cuarto
una de cuatro partes iguales de un entero.

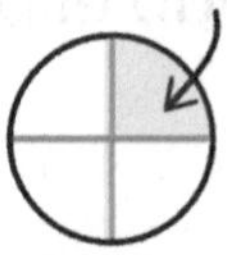

4 partes iguales

un medio
una de dos partes iguales de un entero.

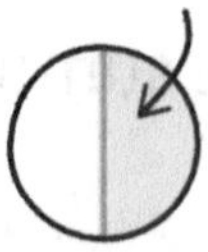

2 partes iguales

un tercio
una de tres partes iguales de un entero.

3 partes iguales

unidades
elementos u objetos individuales.

5 unidades

Ejemplo

Vv

valor posicional

valor de un dígito según su posición en un número. Por ejemplo, el número 2 de 324 está en el lugar de las decenas; por lo tanto, tiene un valor de 2 decenas, o 20.

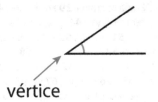

Centenas	Decenas	Unidades
3	2	4
↓	↓	↓
300	20	4

vértice

punto donde dos semirrectas, rectas o segmentos de recta se cruzan y forman un ángulo.

vértice

Yy

yarda (yd)

unidad de longitud. Hay 3 pies, o 36 pulgadas, en 1 yarda.

3 pies = 1 yarda
36 pulgadas = 1 yarda

Agradecimientos

Common Core State Standards Spanish Language Version © Copyright 2013. San Diego County Office of Education, San Diego, California. All rights reserved.

Créditos de la portada

©Auscape International Pty Ltd/Alamy
©Lynne Nicholson/Shutterstock

Créditos de las fotografías

Imágenes de monedas de los Estados Unidos (a menos que se indique lo contrario) son de la United States Mint.

Imágenes usadas bajo licencia de **Shutterstock.com**.

Créditos de las ilustraciones

Todas las ilustraciones son de **Tim Chi Ly**

504 IB Photography, Yellow Cat; **505** Yellow Cat;
506 Sonia Dubois, Vitaly Zorkin; **507** xpixel; **508** ilovezion, Mizkit;
510 NARUDON ATSAWALARPSAKUN; **511** Polina Prokofieva, MaraZe, Bragin Alexey; **512** Silvano audisio; **513** Yanas; **514** aperturesound;
515 Vladvm; **516** gresei; **518** Seregam; **519** Montego;
520 Wk1003mike; **522** MustafaNC, Belinda Pretorius, Dean bertoncelj;
523 Pictureguy; **524** Vadim Orlov, P Maxwell Photography;
526 Nerthuz, kontur-vid; **527** freesoulproduction; **528** Feng Yu, gillmar, Oliver Hoffman; **531** Mega Pixel, Tuomas Lehtinen;
532 Fedorov Oleksiy, Rawpixel.com, Polryaz; **535** timquo, Viktar Ramanenka; **536** Alhovik, Nik Merkulov; **537** Dan Kosmayer;
538 Marko Poplasen; **539** aopsan; **542** Roman Samokhin;
543 domnitsky; **544** Mega Pixel, koosen, Lunatictm; **545** PK.Phuket studio; **547** Ivonne Wierink, primiaou; **548** Tatiana Shepeleva;
549 Atlaspix, Mtlapcevic, drpnncpptak; **550** MyImages – Micha, Oleksandr Fediuk, Peter Vanco; **551** Blackspring; **552** Alexander Tolstykh, claire norman, Lufter; **553** Liam1949, Stockforlife;
554 Stepan Bormotov; **558** gillmar, Louella938; **559** Koosen;
560 Kamenetskiy Konstantin, Soonios Pro; **561** Sergiy Kuzmin;
564 Dora Zett, Verbitsky Denis; **566** Val Lawless; **568** Anton Starikov;
569 Photo One; **570** Picsfive; **572** Nor Gal, **573** Bulbspark, Nikola Bilic; **574** An NGUYEN, bulbspark; **576** Marish; **577** Vvoe;
578 Elena100; **581** endeavor; **582** NARUDON ATSAWALARPSAKUN, ULKASTUDIO; **584** RimmaOrphey; **585** StepanPopov; **586** Rakimm;
589 Exopixel, Pavel Bobrovskiy; **591** Coprid; **592** Godsend, Rashevskyi Viacheslav; **593** Peyker **594** Seregam, Peyker; **596** Ton Bangkeaw; **597** Arina P Habich; **598** reiza, Tarzhanova, Arina P Habich; **600** Mtsaride; **601** Irin-k; **602** oksana2010; **603** goi;
606 Arthito, mhatzapa; **607** Ivonne Wierink; **608** Picsfive;
609 viviamo; **611** FabrikaSimf; **612** Nik Merkulov; **613** Kitch Bain;
614 Nbenbow, schab; **616** Skobrik; **621** motorolka; **624** Solutioning Incorporated; **626** Ruslan Ivantsov; **629** Vahe 3D; **630** goodwin_x, Paleka; **634** Mhatzapa, Steve Oehlenschlager; **636** Scruggelgreen;
639 ang intaravichian; **640** Olha Ukhal; **642** Ton Bangkeaw;

644 MirasWonderland, ingret, Ermolaev Alexander, Oleksandr Lytvynenko, Eric Isselee, Dora Zett, Africa Studio, Olhastock, Grigorita Ko; **645** Eric Isselee, Laralova; **646** Alhovik; **648** BOONCHUAY PROMJIAM; **650** feelphoto2521; **651** stockfotoart; **653** Garsya;
654 Africa Studio, Picsfive; **655** azure1; **656** Sharon Silverman Boyd, Garsya; **658** Photka; **659** Rakic; **660** timquo; **661** Yaroslava;
664 Enrique Ramos; **666** Coprid, Lucie Lang; **668** valkoinen, timquo, iMoved Studio, grey_and; **669** Prasolov Alexei; **670** Africa Studio, Timquo; **671** Timquo, Pelfophoto, Airdone; **672** Vitaly Zorkin, Yellow Cat; **679** Alexandra Lande; **681** Galina Petrova; **682** Richard Griffin, indaflesh; **687** Elena Schweitzer; **688** Butterfly Hunter, SAPhotog, artshock, Handies Peak, Elena Schweitzer; **700** Oakozhan; **706** Andrey Eremin, Bigacis; **714** Izlan Somai; **716** kaspan, Mikhail Abramov, Africa Studio, Mamuka Gotsiridze; **717** Ruslan Grumble; alexmak7; **718** MNI;
722 Ravipat; **724** Rattanamanee Patpong; **732** Timquo; **733** GRSI;
736 Phovoir, Pumidol; **737** Chuckstock, Pixfiction; **740** Cherdchai charasri, freestyle images; **741** ajt, Ariadna Nevskaya, Marish;
744 Narong Jongsirikul; **745** Artem Kutsenk; **746** TukkataMoji;
747 Studio DMM Photography, Designs & Art; **749** Africa Studio;
751 Su Xingmin; **753** Aliaksei Tarasau; **754** Aperture51;
755 valkoinen; **758** kustome; **759** Mtsaride, FocusStocker, olnik_y;
762 Eric Isselee, Rudmer Zwerver, BlackAkaliko; **764** Zadiraka Evgenii;
765 Preto Perola; **766** Alan Lucas; **770** Dora Zett; **771** Africa Studio;
774 Stockforlife; **776** Suradech Prapairat, Stockforlife; **779** Mega Pixel;
780 Narong Jongsirikul; **A4** titelio, Jiri Vaclavek, kitzcorner;
A8 DenisNata; **A9** Picsfive, Pogonici; **A15** Picsfive; **A16** Sasimoto

Manual del estudiante, usadas solo en Student Bookshelf y en la Guía del maestro: MEi ArtMari, Rawpixel.com, Pixfiction,Disavorabuth; **ME1** Africa Studio; **ME2** iadams;
ME3 Palabra; **ME5** Havepino; **ME6** Tatiana Popova;
ME8 Chiyacat; **ME9** Kyselovalnna, Markus Mainka; **ME10** ArtMari;
ME11–ME12 ArtMari, Disavorabuth; **ME13–ME14** ArtMari;
ME18 Rawpixel.com